JN036922

60分でわかる！

相続

THE BEGINNER'S GUIDE TO
SUCCESSION

［著］
司法書士
中下祐介
税理士
村田顕吉朗

超入門

技術評論社

相続対策・認知症対策に活用できる制度など

家族信託

不動産や金銭などの財産の管理や処分を、信頼できる家族に任せる仕組み。認知症対策として活用されることが多く、遺言のように相続開始後の財産の承継先を予め指定することもできる。

任意後見制度

本人の判断能力が十分なうちに、判断能力が低下した場合に備えて、予め本人が指定した人（任意後見人）と公正証書による契約で委任する事務（財産管理など）を決めておく制度。

生前贈与※

→P.152参照

自分の財産を、相続の開始前に親族や第三者に無償であげること。相続税対策にも活用される。ただし、贈与する金額等によっては贈与税が課せられることもあるため注意が必要。

相続税対策

→Part6参照

相続人が相続税の支払いに困ることがないよう、相続税の税額を減らすことなどを目的として、財産の組換、財産の移転、特例の活用のほか、納税資金の準備などを行うこと。

※相続により財産を取得する相続人に対しての生前贈与は、相続開始から7年前までのものが相続財産に加算される（相続時精算課税制度適用の贈与は期限なし）

遺言

→P.146参照

自分が亡くなった後に、財産を「誰に」「どれくらいの割合で」承継させるかなどを生前に意思表示しておくこと。その内容を法的に有効な書面にしたものを「遺言書」という。

成年後見制度

認知症、知的・精神障害などにより判断能力が不十分な人の財産管理や身上監護を、家庭裁判所が選任した成年後見人等が行う制度。判断能力に応じて「後見」「保佐」「補助」がある。

死後事務委任契約

自分が亡くなった後の事務（葬儀・埋葬・各種届出・親族への連絡など）について、生前に希望の対応を委任する契約。
いわゆる「おひとりさま」の終活に活用されるケースも多い。

活用のポイント

資産・家族構成・その他事情をもとに、各ケースに合わせた認知症対策・相続対策・相続税対策などを行う。
具体的な対策や対応については、税金に関しては税理士、法律の手続きに関しては司法書士・弁護士に相談をする。

（令和5年12月31日以前の贈与は3年前まで）

一般的な相続開始後のスケジュール①

▶相続開始日から14日以内

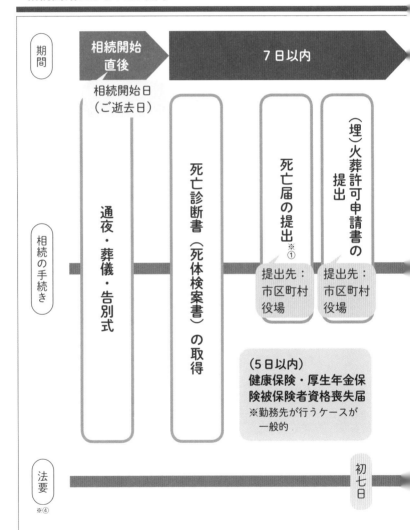

※①「死亡届」は、「死亡診断書（死体検案書）」と同一の用紙にまとまっている。
※②世帯主を変更する場合のみ必要な手続き
※③年金の受給停止手続きは、国民年金の場合は相続開始から14日以内、厚生年金
※④法要は、宗派や地域によって異なることがある

14日以内

住民異動届※②の提出

提出先：
市区町村役場

国民健康保険被保険者証の返却・国民健康保険被保険者資格喪失届の提出

提出先：
市区町村役場

年金の受給停止手続き※③

死亡による役員変更登記

一般的に「(埋)火葬許可申請書」と一緒に提出する

の場合は相続開始から10日以内

一般的な相続開始後のスケジュール②
▶相続開始日から1〜3か月以内

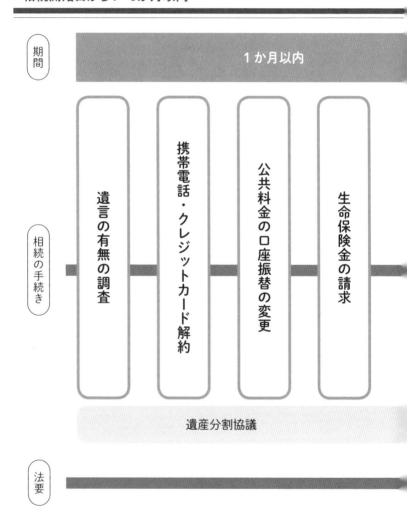

期間	1か月以内

相続の手続き
- 遺言の有無の調査
- 携帯電話・クレジットカード解約
- 公共料金の口座振替の変更
- 生命保険金の請求

遺産分割協議

法要

※⑤相続放棄の申述手続き・相続限定承認の申述手続きの期限は、「自己のために相続の

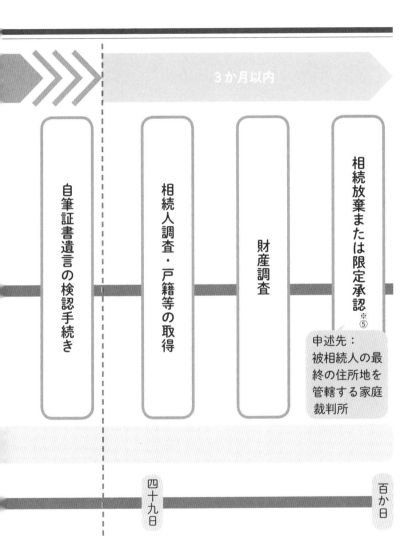

3か月以内

相続放棄または限定承認※⑤

申述先：
被相続人の最終の住所地を管轄する家庭裁判所

財産調査

相続人調査・戸籍等の取得

自筆証書遺言の検認手続き

四十九日

百か日

開始があったことを知った時から3か月以内」

一般的な相続開始後のスケジュール③

▶相続開始日から4か月～3年以内

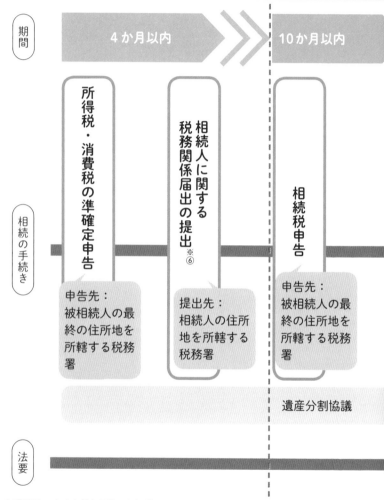

期間

4か月以内 >>> 10か月以内

相続の手続き

所得税・消費税の準確定申告

申告先：
被相続人の最終の住所地を所轄する税務署

相続人に関する税務関係届出の提出 ※⑥

提出先：
相続人の住所地を所轄する税務署

相続税申告

申告先：
被相続人の最終の住所地を所轄する税務署

遺産分割協議

法要

※⑥相続により事業を承継した相続人に関する代表的な届出書の提出期限は下記の
　・青色申告承認申請書：相続開始日から4か月以内（相続開始日が9月1日以
　・消費税簡易課税制度選択届出書：相続開始年の12月31日まで
※⑦遺留分侵害額請求の時効は「相続の開始及び遺留分を侵害する贈与又は遺贈が
※⑧相続登記の申請期限は「自分が相続人であることを知り、かつ、不動産の所有

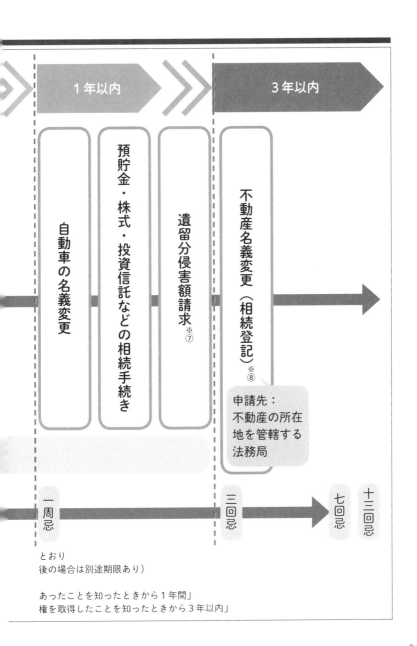

1年以内

自動車の名義変更

預貯金・株式・投資信託などの相続手続き

遺留分侵害額請求 ※⑦

3年以内

不動産名義変更（相続登記）※⑧

申請先：
不動産の所在地を管轄する法務局

一周忌

三回忌

七回忌

十三回忌

とおり
後の場合は別途期限あり）

あったことを知ったときから1年間」
権を取得したことを知ったときから3年以内」

Contents

Part 1 相続の基礎知識
「相続」と「遺産」について知っておくべきこと

Part 2

遺産の調査／相続手続き
遺産を引き継ぐために何をするか

Part 3

遺言
遺言の法的効果と注意点を知る

Part

4

遺産分割協議
遺産を分けるための手続きを知る

Part

5

相続税
「だれに」「どんなときに」「いくら」課税されるのか

Part 6 相続／相続税対策
いま何をするべきか、いま何ができるのか

Part

1

相続の基礎知識

「相続」と「遺産」について知っておくべきこと

そもそも「相続」とは?

● 相続の法律上の効果

「相続」とは人が亡くなった場合に、その亡くなった人の財産や権利・義務（以下、本書において「遺産」という）が、配偶者や子など法律で定められた身分の人に承継されることをいいます。

亡くなった人のことを「被相続人」といい、配偶者など遺産を承継する人のことを「相続人」といいます。誰が相続人になるのか、誰がどれくらいの割合で相続する権利があるのかについては、民法という法律で定められています。法律で定められた相続人を「法定相続人」（本人が生存している間は「推定相続人」という）、各相続人の相続する割合を「法定相続割合」または「法定相続分」といいます（P.22～25参照）。

なお、相続は絶対に受け入れなければならないものではなく、承認するか拒否するかを法定相続人の意思で決めることができます。

例えば「被相続人の借金が多いため相続したくない」という場合などは、家庭裁判所の「相続放棄の申述手続き」の制度を利用して相続人の地位を放棄することができます（P.38参照）。

民法では「相続は、死亡によって開始する。」と規定されており、人が亡くなる前にその人の財産（不動産や株式など）を推定相続人が取得するためには、贈与や売買などで財産の所有権を移す必要があります。なお、生前に金銭や不動産の所有権を移す場合は、贈与税などの費用が想像以上に発生することもあるため、実際に取り組む際は、税理士などの専門家に相談をした方がよいでしょう。

● 相続とは遺産の承継

亡くなった人の財産や権利・義務が、配偶者や子など法律で定められた身分の人に承継されること

金融資産	不動産・動産
・現金 ・預貯金 ・株式 ・投資信託　など	・土地 ・建物 ・車 ・貴金属　など

各種権利	債務
・損害賠償請求権 ・ゴルフ会員権 ・著作権 ・電話加入権　など	・借金 ・住宅ローン ・未払いの税金　など

被相続人
亡くなった人

相続人
遺産を承継する人
配偶者や子などの親族

● 相続に関係する人

被相続人	亡くなった人
相続人	被相続人の権利や義務を承継する人
法定相続人	法律（民法）で相続人になる人の総称
推定相続人	その人が亡くなった場合に法律上相続人になる人

（相続開始の原因）
民法 第882条　相続は、死亡によって開始する。

まとめ
□相続により被相続人の財産や権利・義務は相続人に承継される
□相続を承認するか拒否するかは、法定相続人の意思で決めることができる

相続における「遺産」とは？

● 「遺産」にはプラスの財産もマイナスの財産も含まれる

　被相続人が生前に有していた財産や権利・義務のことを総称して一般的に「遺産」または「相続財産」といいます。「遺産」という言葉からは、預貯金・不動産・株式などといった資産価値があるものをイメージする方も多いかもしれません。しかし、ここで注意をすべきことは**「遺産」にはプラスの財産だけでなくマイナスの財産も含まれる**点です。マイナスの財産としては、借入金（借金）・未払金・保証債務・公租公課（税金）などが挙げられます。

　相続が発生した場合、法定相続人に相続の開始時点における被相続人のプラスの財産・マイナスの財産がすべて承継されることになります。そのため「プラスの財産だけを引き継いで、マイナスの財産は引き継ぎたくない。」ということはできません。借金などマイナスの財産が、明らかにプラスの財産を上回っているときは、家庭裁判所の「相続放棄の申述手続き」を検討します（P.38参照）。

　一方で、被相続人に関係する権利などで「遺産」にならないものもあります。具体的には、①一身専属権（特定の人のみに生じて他人に移転しない権利）の「生活保護受給権」・「国家資格」・「親権」、②保険契約により相続人が受取人となっている「生命保険金」・「死亡退職金」、③祭祀財産「祭具（仏壇・位牌など）」・「墳墓（墓地・墓石）」などです。なお、原則②の生命保険金・死亡退職金は、民法上は受取人の固有財産として取り扱われますが、相続税との関係では「みなし相続財産」として遺産に計上されます。

● 遺産の範囲

遺産になるもの
・現金
・預貯金
・株式
・不動産
・借金
・保証債務、保証人の地位など

遺産にならないもの
・生命保険の保険金
・資格
・仏壇
・墓地、墓石など

● プラスの財産とマイナスの財産

プラスの財産
現金、預貯金、株式、投資信託、不動産、貴金属、宝石、絵画　など

マイナスの財産
借金、保証債務、公租公課（税金等）、未払いの医療費など

（相続の一般的効力）
民法 第896条　相続人は、相続開始の時から、被相続人の財産に属した一切の権利義務を承継する。ただし、被相続人の一身に専属したものは、この限りでない。

まとめ
☐ 遺産には借入金（借金）・未払金・保証債務なども含まれる
☐ 一身専属権・生命保険金・祭祀財産は遺産には含まれない

相続が関係あるのは
お金持ちだけ？

● 相続は誰もが当事者になる

　人は生まれると、寿命は異なりますがいつか亡くなります。そして、亡くなった際に必ず相続に関する法律（民法）が適用されますので、すべての人に相続は関係するといえます。また、**相続が発生した場合、法定相続人の人数や遺産の規模にかかわらず、相続の手続き（死亡に関する役所の手続き・預貯金の相続手続き・不動産の相続登記など）が発生します。**

　よく世間では「うちは財産がないから相続とか関係ないわ」という方がいますが、その認識は誤りです。

　例えば、夫と妻、子2人という家族構成で夫に相続が発生したケースにおいて「自宅の土地と建物は妻が取得して、預貯金は妻と子2人で3等分にする。」という遺産の分け方をしたいとします。この場合、法定相続割合と異なる割合で遺産を取得することになるため、相続人全員で「遺産分割協議」を行う必要があります（遺言がある場合を除く）。

　遺産分割協議とは、被相続人の遺産を誰がどれくらいの割合で取得するかを相続人全員で協議して合意することです。**遺産の規模や種類にかかわらず、法定相続割合と異なる割合で遺産を分けたい場合は、原則「遺産分割協議」をする必要があります。**

　そして、この遺産分割協議がまとまらない場合は、「遺産分割調停・審判」という裁判所が関与する手続きによって遺産を分割することになります。この手続きは想像以上に時間がかかるケースも多く、遺産を取得するまでに長時間を要してしまうリスクがあります。

● 遺産の分け方に希望がある場合の手続き
（すべての遺産を妻が取得したい場合）

法律上の相続割合

相続関係

夫（被相続人）　妻　2/4

長男　1/4　長女　1/4

法律上の相続割合のままだと…

自宅（土地・建物）、預貯金は、妻 2/4、
長男・長女各 1/4 の割合で相続すること
になる

遺産

預貯金　　　自宅（土地・建物）

相続人の意向どおりの内容で相続したい場合は？

法定相続人全員の合意のもと「遺産分割協議」を行う

遺産の分け方について
遺産分割協議書のとおり
合意します！

妻　　長男　　長女

遺産分割協議書

被相続人△△△△（本籍：東京都
……）の遺産については、妻○○
○○がすべて取得する。

令和○年○月○日

妻　　住所…
　　　氏名○○○○ （実印）

長男　住所…
　　　氏名○○○○（実印）

長女　住所…
　　　氏名○○○○（実印）

まとめ	□遺産の規模にかかわらず、すべての人に相続は関係する □遺産を自由に分けるには「遺産分割協議」を行う必要がある

誰が相続人になるのか?

● 法定相続人になる順位

　相続人になる順位は、右の図表のとおり法律で定められています。まず、**被相続人に配偶者がいる場合は、配偶者は常に相続人になります**。そして、配偶者以外の親族は、次の順位で配偶者と共同で相続人になります。配偶者がいない場合は、次の順位の者のみが相続人になります（被相続人に子がいれば、子のみが相続人になる）。

第1順位…直系卑属（子・孫・ひ孫）

　第1順位の相続人は直系卑属です。子がいる場合は、実子・養子にかかわらず全員が相続人になります。被相続人の死亡前に子が死亡しているときは、その子の子（孫）が相続人になります。このことを「代襲相続」、孫も亡くなっていて孫の子（ひ孫）が相続人になることを「再代襲相続」といいます。

第2順位…直系尊属（父母（養父母含む）・祖父母・曾祖父母）

　第2順位の相続人は直系尊属です。被相続人の死亡時に父母も祖父母も生存しているときは、死亡した人に近い世代である父母が相続人になります（父母が離婚していてもどちらも相続人になる）。父母の一方のみが生存している場合は、その者のみが相続人になり、父母がいずれも死亡している場合は、祖父母が相続人になります。

第3順位…兄弟姉妹（亡くなっている場合は甥・姪）

　第3順位の相続人は兄弟姉妹です。兄弟姉妹がすでに死亡しているときは、その子（甥・姪）が相続人になります。ただし、**兄弟姉妹が死亡しており、さらにその子も死亡している場合は、第1順位の直系卑属の場合と異なり、再代襲相続にはなりません**。

● 法定相続人の順位

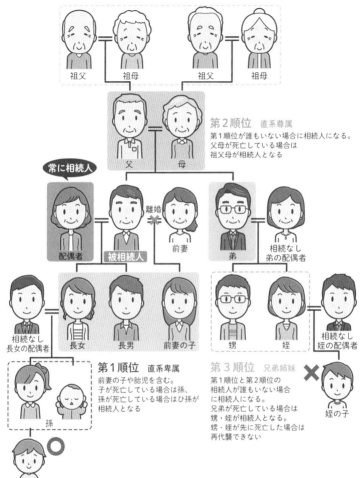

第2順位 直系尊属
第1順位が誰もいない場合に相続人になる。
父母が死亡している場合は
祖父母が相続人となる

常に相続人

離婚

配偶者　被相続人　前妻　　　　弟　　相続なし
弟の配偶者

相続なし
長女の配偶者　長女　長男　前妻の子　　甥　　姪　　相続なし
姪の配偶者

孫

○

第1順位 直系卑属
前妻の子や胎児を含む。
子が死亡している場合は孫、
孫が死亡している場合はひ孫が
相続人となる

第3順位 兄弟姉妹
第1順位と第2順位の
相続人が誰もいない場合
に相続人になる。
兄弟が死亡している場合は
甥・姪が相続人となる。
甥・姪が先に死亡した場合は
再代襲できない

姪の子

第1順位…直系卑属(子・孫・ひ孫)
第2順位…直系尊属(父母(養父母含む)・祖父母・曾祖父母)
第3順位…兄弟姉妹(亡くなっている場合は甥・姪)

まとめ
□ 配偶者は常に相続人になる(内縁関係や事実婚は含まれない)
□ 法定相続人になる順序は第1順位から第3順位まである

相続人が複数名いる場合、
法定相続割合はどうなるのか?

● 法定相続割合は相続人の続柄と人数で決まる

相続人が1名の場合(離婚や死別により配偶者なし・子1名の場合など)は、その相続人の法定相続割合は100%です。一方、相続人が複数名いる場合の法定相続割合は、右の図表のとおりです。

モデルケース①:配偶者と子が法定相続人の場合

法定相続割合は、配偶者1/2、子1/2です。子が複数名いる場合は、法定相続割合の1/2を子の頭数で除した割合が、子1名あたりの法定相続割合になります。

例えば、子が3名の場合は【1/2(法定相続割合)÷3(頭数)= 1/6】が、子1名あたりの法定相続割合です。

モデルケース②:配偶者と直系尊属が法定相続人の場合

法定相続割合は、配偶者2/3、直系尊属1/3です。 直系尊属が複数名いる場合は、法定相続割合の1/3を直系尊属の頭数で除した割合が、直系尊属1名あたりの法定相続割合になります。

例えば、被相続人の父母が健在の場合は【1/3(法定相続割合)÷2(頭数)= 1/6】が、父と母それぞれの法定相続割合です。

モデルケース③:配偶者と兄弟姉妹が法定相続人の場合

法定相続割合は、配偶者3/4、兄弟姉妹1/4です。兄弟姉妹が複数名いる場合は、法定相続割合の1/4を兄弟姉妹の頭数で除した割合が、兄弟姉妹1名あたりの法定相続割合になります。

例えば、被相続人が4人兄弟の場合は【1/4(法定相続割合)÷3(頭数)= 1/12】が、兄弟姉妹1名あたりの法定相続割合です。

● 法定相続人と法定相続分

相続順位	法定相続人と法定相続分			
第1順位 子どもがいる場合	配偶者	1/2	子	1/2を 人数で分ける
第2順位 子どもがおらず 父母がいる場合	配偶者	2/3	父母等	1/3を 人数で分ける
第3順位 子どもと父母が ともにおらず、 兄弟がいる場合	配偶者	3/4	兄弟姉妹	1/4を 人数で分ける

※被相続人が、離婚や死別により配偶者がいないケースで、第1順位の相続人である子
　が1名の場合など、相続人が1名の場合はその相続人がすべての遺産を取得する
※父母の一方が同じ兄弟姉妹（いわゆる半血兄弟）の法定相続分は、父母の双方が同じ
　兄弟姉妹の2分の1である

● 相続人が複数名いる場合のモデルケース

相続人	法定相続割合			
配偶者と 子3名	配偶者	3/6	子	1/6ずつ
配偶者と 被相続人の両親	配偶者	4/6	父母等	1/6ずつ
配偶者と 被相続人の 兄弟姉妹3名	配偶者	9/12	兄弟姉妹	1/12ずつ

まとめ	☐ 相続人が複数名の場合の相続割合は法律で定められている ☐ 同一順位の相続人が複数名の場合は、法定相続割合を頭数で割る

遺産の相続について最低限保証されている割合はあるのか?

● 一定の相続人に最低限保証されている遺留分

　被相続人が「長男にすべての財産を相続させる」など特定の相続人のみに遺産を承継させる旨の遺言を書いていることがあります。この遺言の内容自体は法的に有効ですが、他の相続人が一切遺産を取得できないかというとそうではありません。

　法定相続人のうち、配偶者・直系卑属（子や孫）・直系尊属（父母や祖父母）には、一定の相続割合が保証されています。これを「**遺留分**」といいます。遺留分の具体的な割合は、右の図表のとおりです。なお、法定相続人のうち、兄弟姉妹（その代襲相続人を含む）には遺留分がありません。

　遺留分のある相続人は、遺留分侵害額相当の金銭を請求できる権利（「遺留分侵害額請求権」という）を主張することができます。例えば、被相続人の遺した遺言により法定相続人である配偶者の遺留分が1,000万円侵害されているケースにおいて、配偶者が遺留分侵害額請求をした場合、遺留分を侵害している人は、配偶者に1,000万円を支払わなければなりません。

　なお、遺留分侵害額請求権を行使するかどうかは任意ですが、行使期限があるため注意が必要です。具体的には、**遺留分侵害額請求権は、相続の開始と遺留分侵害の事実を知ってから1年以内に行使する必要があり、また、遺留分侵害の事実を知らない場合であっても相続の開始から10年を経過すると行使できなくなります。**

　遺留分侵害額請求は、専門知識がないことで損をしてしまうケースもあるため、まずは弁護士に相談することをおすすめします。

◉ 遺留分が認められている相続人

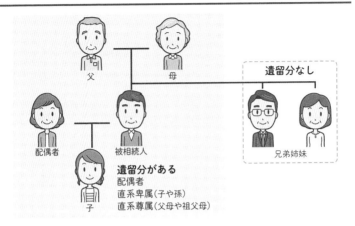

遺留分なし

父　母

配偶者　被相続人

遺留分がある
配偶者
直系卑属(子や孫)
直系尊属(父母や祖父母)

子

兄弟姉妹

◉ 遺留分の割合

相続人	遺留分	相続人の遺留分
配偶者と子	法定相続分の1/2	配偶者 1/4、子 1/4
配偶者と直系尊属	法定相続分の1/2	配偶者 2/6、直系尊属 1/6
配偶者と兄弟姉妹	法定相続分の1/2	配偶者 1/2、兄弟姉妹 なし
配偶者のみ	法定相続分の1/2	配偶者 1/2
子のみ	法定相続分の1/2	子 1/2
直系尊属のみ	法定相続分の1/3	直系尊属 1/3
兄弟姉妹のみ	なし	なし

※子や直系尊属が複数人いる場合は、「各人の遺留分の割合」をその人数で均等に分ける

（遺留分侵害額請求権の期間の制限）
民法 第1048条　遺留分侵害額の請求権は、遺留分権利者が、相続の開始及び遺留分を侵害する贈与又は遺贈があったことを知った時から1年間行使しないときは、時効によって消滅する。相続開始の時から10年を経過したときも、同様とする。

まとめ	☐ 法定相続人のうち、配偶者・直系卑属・直系尊属は遺留分がある ☐ 遺留分侵害額請求権には行使期限がある

被相続人から生前に財産をもらっていても遺産を相続できるのか?

● 遺産分割に影響する生前贈与など

　一部の相続人だけが、被相続人からの遺贈、死因贈与または生前贈与によって特別な利益を得ていることがあります。この場合、**遺贈や死因贈与によって取得した財産、生前贈与のうち「婚姻、養子縁組または生計の資本のための贈与」によって取得した財産は法律上「特別受益」として取り扱われます。**

　「婚姻・養子縁組のための贈与」は、持参金や支度金(婚姻の場合の挙式費用・結納金)などが該当するとされていますが、必ず特別受益になるわけではなく、金額によっては扶養義務の範囲内として特別受益に該当しないと判断されることもあります。また「生計の資本のための贈与」は、自宅購入や独立開業の際の資金援助(金銭の贈与)をしてもらった場合などが該当します。ただし、この場合も必ず特別受益になるわけではありません。特別受益については、実務上、その行為が"遺産の前渡し"に該当するかどうかが判断基準となります。

　ただ、その判断は非常に難しいため、実際に個々のケースを検証するにあたっては、弁護士に相談することをおすすめします。**特別受益がある場合は、その価額を加えたものを遺産(相続財産)とみなします。**これを「特別受益の持ち戻し」といいます。そして、特別受益を受けている相続人の相続分は、特別受益を合算した遺産の法定相続分からその相続人の特別受益を控除した残額です(相続人全員が同意すれば特別受益を考慮しない遺産分割も可能)。

● 特別受益に該当する生前贈与の一例

①事業を始めるための開業資金の援助
②住宅を購入するための資金援助
③借金を代わりに支払った
④婚姻・養子縁組に関して費用を支払った（扶養義務を超えて）

● 特別受益があった場合の相続分

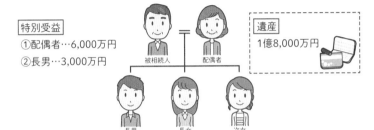

特別受益
①配偶者…6,000万円
②長男…3,000万円

被相続人　配偶者

遺産
1億8,000万円

長男　長女　次女

配偶者の具体的相続分の算定式

遺産総額

= 1億8,000万円（相続開始時の遺産の額）+ 9,000万円（特別受益の合計金額）

= 2億7,000万円

配偶者の具体的相続分

= 2億7,000万円 × 1/2（法定相続割合）- 6,000万円（特別受益）= 7,500万円

法定相続人	法定相続分	通常の取得額	特別受益	具体的相続分
配偶者	3/6	9,000万円	6,000万円	7,500万円
長男	1/6	3,000万円	3,000万円	1,500万円
長女	1/6	3,000万円	0円	4,500万円
次女	1/6	3,000万円	0円	4,500万円

まとめ
□ 被相続人からの生前贈与は「特別受益」に該当することがある
□ 「特別受益」がある場合「特別受益の持ち戻し」が行われる

1人が遺産をすべて
相続することはできるのか？

● 遺産のすべてを受け取る方法

　相続人のうちの1名が遺産をすべて相続できるケースとしては、①被相続人が特定の相続人に全財産を相続させる旨の遺言を遺している場合、②遺産分割協議で特定の相続人がすべての遺産を取得することについて合意が成立した場合が挙げられます。

　ただし、①の**遺言の場合は、法律上、一次的にすべての遺産を取得できますが、遺留分を有する他の共同相続人（遺留分権利者）がいる場合は、遺留分侵害額請求の問題が残ります**。そのため、後日、他の共同相続人（遺留分権利者）から遺留分侵害額請求をされた場合は、遺留分侵害額相当の金銭を支払う必要があり、すべての遺産を取得できないことになってしまいます（遺留分・遺留分侵害額請求についてはP.26参照）。

　一方で、②の**遺産分割協議の場合は、相続人全員の協議により遺産の分割方法に関する合意が成立しているため、後日、遺留分侵害額請求をされることは通常ありません**。

　例えば、夫と妻、子2名という家族構成で夫に相続が発生したケースにおいて、遺産分割協議で「すべての遺産は妻が取得する」という合意が成立すれば、妻はすべての遺産を1人で取得することができます。

　なお、上記①②のいずれの場合でも、原則、債務（借金など）は、相続人全員に法定相続割合で承継されるため、注意が必要です（P.96参照）。

● 遺産のすべてを受け取る2つの方法

（1）被相続人が特定の相続人に全財産を相続させる遺言を遺している場合

> 遺言書
>
> 遺言者 甲野太郎は 次のとおり、遺言する。
>
> 遺言者は遺言者の有する一切の財産を、
>
> 妻 甲野花子（昭和○年○月○日生）に相続させる。
>
> 令和6年○月○日
>
> 東京都新宿区新宿○丁目○番○号
>
> 遺言者 甲野太郎 印

注意！

法律上、一次的にすべての遺産を取得できるが、遺留分を有する他の共同相続人（遺留分権利者）がいる場合は、後日、遺留分侵害額請求をされる可能性がある

（2）遺産分割協議で特定の相続人がすべての遺産を取得することについて合意が成立した場合

> **遺産分割協議書**
>
> 被相続人△△△△（本籍：東京都……）の遺産については、妻○○○○がすべて取得する。
>
> 令和○年○月○日
>
> 妻 住所…
> 氏名○○○○ （実印）
>
> 長男 住所…
> 氏名○○○○ （実印）
>
> 長女 住所…
> 氏名○○○○ （実印）

まとめ

☐ 特定の相続人がすべての遺産を取得する方法はある

☐ 遺言ですべての遺産を取得した場合であっても、相続人に遺留分権利者がいる場合は、後日、遺留分侵害額相当の金銭を支払わなければならない可能性がある

相続の手続きには期限があるの?

● 各手続きによって異なる期限・ペナルティの有無

　相続が発生した場合、死亡届の提出、相続放棄の申述手続き、相続税の申告など期限が設定されているものは複数あります。

　被相続人の属性などによって細かい点は異なりますが、相続開始から7日以内に行う「死亡届の提出」、14日以内に行う「国民健康保険被保険者資格喪失届の提出」や「国民年金の受給停止手続き」は、多くの人に共通する手続きです（右の図表や巻頭参照）。

　また、相続することを拒否したい場合は、自身が相続人であることを知ったときから3か月以内に、家庭裁判所で「相続放棄の申述手続き」をする必要があります。

　右図のとおり、各手続きには期限がありますが、特に相続放棄については、申述期限を経過した場合、原則、相続放棄ができなくなってしまうため注意が必要です。

　また、被相続人に関して確定申告をする必要がある場合は、相続開始から4か月以内に「準確定申告」を、相続税が発生する場合は、相続開始から10か月以内に「相続税の申告」を所轄の税務署に対して行う必要があります。**「準確定申告」と「相続税の申告」を期限内に申告しなかった場合、ペナルティ（延滞税・無申告加算税）が課せられるため注意が必要です。**なお、預貯金や株式などの遺産の相続手続きには期限やペナルティはありませんが、不動産については、2024年4月1日から相続登記が義務化され、期限とペナルティ（最大10万円の過料）が設定されます。

◉ 一般的な相続手続きの流れ

相続発生からの期間	相続手続きの内容
相続開始日〜14日以内	**7日以内** ・死亡届の提出　など
	14日以内 ・年金の受給停止手続き（国民年金） ・国民健康保険被保険者証の返却 ・国民健康保険被保険者資格喪失届の提出 ・住民異動届の提出　など
1〜4か月以内	**1か月以内** ・遺言の有無の確認　など
	3か月以内 ・法定相続人、相続財産の調査 ・相続放棄または限定承認　など ※自身が相続人であることを知ったときから
	4か月以内 ・所得税・消費税の準確定申告　など
10か月〜1年以内	**10か月以内** ・相続税の申告、納付　など
	1年以内 ・遺留分侵害額請求　など
2〜5年以内	**2年以内** ・葬祭費、埋葬料の申請 ・高額医療費の申請　など
	3年以内 ・不動産名義変更（相続登記） ※自身が相続人であり、かつ、不動産の所有権を取得したことを知ったときから ・生命保険金の請求　など
	5年以内 ・遺族年金、未支給年金の受給申請　など

まとめ
☐ 相続手続きには期限があるものがいくつかあるが、特に相続放棄の申述期限には注意する
☐ 準確定申告・相続税の申告を怠るとペナルティが課せられる

Part 1　相続の基礎知識

33

被相続人が連帯保証人になっていた場合、相続人に影響はあるの?

● 連帯保証人の地位は、相続人に法定相続割合で相続される

　被相続人が、生前に借金の連帯保証人になっていた場合、相続人は、法定相続割合に応じて「連帯保証人の地位」を相続することになります（連帯保証人の保証債務を引き継ぐ）。

　例えば、被相続人が、生前に1,000万円の借金の連帯保証人になっていたケースにおいて、相続人が配偶者と2名の子である場合、配偶者は500万円分、2名の子は各自250万円分の連帯保証債務を相続することになります。そして、**連帯保証人の地位を相続した相続人は、将来、主債務者（お金を借りた本人）が返済できなくなった場合、連帯保証債務を履行するため、法定相続割合に応じて借金を返済しなければなりません。**

　このようなケースもあるため、被相続人のプラスの遺産がマイナスの遺産より多い場合であっても、被相続人が多額の借金の連帯保証人になっている場合などは、そのまま相続してもよいか慎重に検討する必要があります。

　特に、すでに主債務者の返済が滞っている場合や返済能力に問題がある場合などは、相続放棄の申述手続きを選択した方がよいケースもあります（相続放棄の申述手続きについてはP.40参照）。

　なお、被相続人が会社の代表者で、かつ、その会社が金融機関などから事業借入をしている場合は、代表者個人が会社の債務の連帯保証人になっているケースが多いため注意が必要です。

● 遺産を一切取得していなくても…

被相続人の妻が預貯金を全額、長男が自宅と自社株をすべて、長女は遺産を一切取得しない内容の遺産分割協議が成立したケース

被相続人
会社経営者

配偶者
法定相続分 2/4

預貯金

長女
法定相続分 1/4

長男
法定相続分 1/4

自宅　　株式

遺産	相続する人
預貯金	配偶者
自宅（土地・建物）	長男
株式（自社株）	長男
2億円の連帯保証人の地位	連帯保証人の地位の相続 妻：1億円 長男：5,000万円 長女：5,000万円

注意！
☑ プラスの遺産の取得割合にかかわらず、連帯保証人の地位（連帯保証債務を履行する義務）は法定相続割合で承継されてしまう
☑ 上記のケースでは、長女は遺産を1円も取得していないにもかかわらず、法律上は5,000万円分の連帯保証人の地位を相続することになる

まとめ	□ 連帯保証人の地位は、法定相続割合で承継される □ 連帯保証人の地位を承継するケースで、将来的に保証債務を履行しなければならない可能性が高い場合、相続放棄を検討する

相続人以外の人が権利を主張して きたらどうすればよいの?

⦿ 法定相続人なのか? 被相続人に権利を主張できた人なのか?

　遺言で法定相続人以外に財産を遺贈している場合、法定相続人以外と死因贈与契約を締結している場合などを除いて、**原則、遺産を取得することができるのは法定相続人だけです。**

　そのため、法定相続人以外の人が相続を原因として被相続人の遺産を取得することはできません。例えば、遠縁になっていた相続人ではない親族が「昔、○○（被相続人）が困っているときに面倒を見てやった。自分も遺産の一部を受け取る権利がある！」と主張してきた場合であっても「過去に面倒を見た」という事実だけをもって、遺産を取得できる権利が法律上当然に生じることはありません。

　一方で、**被相続人に対して生前お金を貸していた人は、法定相続人であるかどうかにかかわらず、被相続人の債務（お金を返す債務）を相続した相続人に、債務の履行（返済）を求めることができます。**この場合、法定相続人全員に返済義務が生じますが、その負担割合は、法定相続割合に応じます。

　例えば、被相続人の借金が1,000万円あるケースにおいて、相続人が配偶者と2名の子である場合は、配偶者が500万円分、2名の子が各自250万円分の返済義務があります。

　なお、返済方法や返済時期については、もともと被相続人が締結していた借金の契約（借主としての地位）をそのまま引き継ぐことになりますので、相続が発生したことに起因して、借金の残金を一括返済する義務が生じることや、返済期限が前倒しされるなど契約内容が一方的に変更されることはありません。

◉ 遺産を取得できる人、できない人

遺産を取得できる人

①法定相続人

②遺言で財産を遺贈された人（法定相続人以外も可能）

③被相続人と生前に死因贈与契約を締結していた人

※相続人に該当する人がいない場合、被相続人の療養看護をした人など一定の関係性がある人は、家庭裁判所に「特別縁故者（とくべつえんこしゃ）に対する相続財産分与の申立て」をすることで、一定の遺産を取得することを認めてもらえることがある

遺産を取得できない人（遺贈・死因贈与がない場合）

法定相続人以外の人

例①：被相続人を生前にお世話した人（懇意にしていた親戚など）

例②：生前に被相続人を献身的に介護した長男の妻

法定相続人ではないが、遺産に対して権利を有する人

被相続人の生前の債権者

例：被相続人が、生前に1,000万円借りていた場合

　　債権者（お金を貸していた人）は相続人に対して法定相続割合に応じて金銭の返済を請求できる

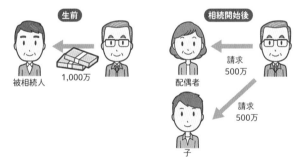

| 生前 | 相続開始後 |

被相続人　1,000万

配偶者　請求500万

子　請求500万

| まとめ | □相続人以外への遺贈や死因贈与契約を締結している場合を除いて、法定相続人以外が遺産を取得することはできない
□被相続人の債権者は、法定相続人に債務の履行を請求できる |

遺産を相続したくない、遺産分割協議に関与したくない場合、どうするの？

● 相続することを拒否する方法

　被相続人のマイナスの遺産（借金や未払金など）が、プラスの遺産（預貯金や不動産など）の金額を大幅に上回る場合や、親族関係が悪いため遺産分割協議に関わりたくない（遺産も一切要らない）場合は、法定相続人は、家庭裁判所で「**相続放棄の申述手続き**」をすることができます。

　この手続きを行った相続人には、**"初めから相続人とならなかったものとみなす"という法律上の効果が生じるため、被相続人の借金や未払いの税金などを支払う必要がなくなり、また、相続人としての法的地位も失うため、遺産分割協議に参加する必要もなくなります。**

　なお、第1順位（P.22参照）の相続人全員が相続放棄をした場合、相続権（相続人の地位）は、第2順位の法定相続人に移り、さらに第2順位の法定相続人の全員が相続放棄をすると、第3順位の法定相続人に移っていきます。

　ここで注意すべきことは、相続放棄の申述手続きを行った事実は、家庭裁判所から次順位の相続人に通知されない点です。そのため、相続放棄により次順位の法定相続人に相続権が移る場合は、次順位の相続人に対して相続放棄をした事実や被相続人の財産状況などを連絡し、親族間でトラブルが生じないよう配慮した方がよいでしょう。具体的には、自身が相続放棄をしたこと、相続放棄をした理由（遺産・負債の情報）などを電話や書面などで次順位の相続人に伝えるなどの対応が考えられます。

● 相続放棄とは

プラスの財産　マイナスの財産

プラスの財産、マイナスの財産、すべての財産を相続しないこと
マイナスの財産だけを放棄することはできない

相続放棄の効果

▶法律上、はじめから相続人とならなかったものとみなされる

▶被相続人の借金や未払いの税金などを支払う必要がなくなる

▶プラスの財産も一切相続できなくなる

● 相続放棄による相続権の移動の順序

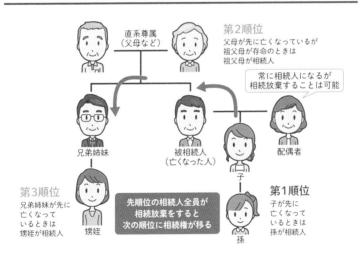

第2順位
父母が先に亡くなっているが
祖父母が存命のときは
祖父母が相続人

直系尊属
（父母など）

常に相続人になるが
相続放棄することは可能

兄弟姉妹　被相続人
（亡くなった人）　配偶者

子

第3順位
兄弟姉妹が先に
亡くなって
いるときは
甥姪が相続人

甥姪

先順位の相続人全員が
相続放棄をすると
次の順位に相続権が移る

第1順位
子が先に
亡くなって
いるときは
孫が相続人

孫

まとめ	□相続放棄の申述手続きが完了した相続人は、はじめから相続人とならなかったものとみなされる □相続放棄をしたことは、他の相続人には通知されない

相続放棄をするための
具体的な手続きは？

● 相続放棄の申述手続きの期限と必要書類

　相続することを拒否（相続放棄）したい場合は、法律で定められた期限内に、被相続人の最後の住所地を管轄する家庭裁判所に対して**「相続放棄の申述手続き」**を行う必要があります。

　相続放棄の申述手続きの期限は「自己のために相続の開始があったことを知った時から３か月以内」です。これを熟慮期間（相続放棄をするかしないかを検討する期間）といいます。この「自己のために相続の開始があったことを知った時」とは、自分が法定相続人であることを知ったときという意味です。

　例えば、被相続人と音信不通だったため、亡くなった事実を知った日が実際の死亡日から１年後の日だった場合、その日から３か月以内に手続きをすれば、期限内として取り扱われます。

　相続放棄の申述手続きの**必要書類は、手続きを行う相続人が、被相続人から見てどの続柄にあたるのかによって用意するものが異なります**（右図参照）。

　相続放棄による相続権の帰属に関する注意点として、被相続人に子と孫がいるケースにおいて、第１順位の法定相続人である子が相続放棄をすると、相続人の地位（相続権）は孫には移らず、次順位の法定相続人である被相続人の父母に移ります。一方、未婚で子のいない人が被相続人のケースでは、父母が法定相続人になりますが、その父母が相続放棄をしたときに祖父母が存命であれば、相続権は祖父母に移ります。祖父母が相続放棄をしない限り、第３順位の兄弟姉妹には移りませんのでご注意ください。

● 相続放棄の選択期間

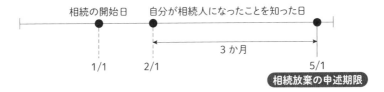

相続の開始日　　自分が相続人になったことを知った日

3か月

1/1　　2/1　　　　　　　　　　　　　　　　5/1

相続放棄の申述期限

● 相続放棄の申述手続きの必要書類

相続人の続柄にかかわらず共通のもの

1．相続放棄の申述書（※裁判所のHPからダウンロードできる）
2．被相続人の住民票の除票または戸籍の附票
3．申述人（相続放棄をする相続人）の戸籍

①申述人が、被相続人の配偶者または子の場合
・被相続人の死亡の記載のある戸籍（除籍・改製原戸籍）
②申述人が、被相続人の父母の場合
・被相続人の出生時から死亡時までのすべての戸籍（除籍・改製原戸籍） ・被相続人の子で死亡している人がいる場合、その子の出生時から死亡時までのすべての戸籍（除籍・改製原戸籍）
③申述人が、被相続人の兄弟姉妹の場合
・被相続人の出生時から死亡時までのすべての戸籍（除籍・改製原戸籍） ・被相続人の子で死亡している人がいる場合、その子の出生時から死亡時までのすべての戸籍（除籍・改製原戸籍） ・被相続人の直系尊属の死亡の記載のある戸籍（除籍・改製原戸籍）

4．収入印紙（800円分）、郵便切手（裁判所によって異なる）

まとめ	□ 相続放棄の申述手続きは、被相続人の最後の住所地を管轄する家庭裁判所に対して行う □ 相続放棄の申述手続きは、自分が相続人と知ったときから3か月以内に行う必要がある

相続放棄の申述期限を過ぎてしまった場合、絶対に相続放棄はできないの？

● 相続放棄の申述期限が経過した場合の対応方法

　相続放棄の申述期限は"自身が相続人になったことを知ったときから3か月以内"です。しかし、**この期限を経過してしまった場合であっても相続放棄ができる可能性はあります。**

　最高裁判所は、相続人になったことを知ったときから3か月が経過している場合であっても、**次の要件をすべて満たす場合は、相続財産の全部または一部の存在を認識したときから相続放棄の熟慮期間が起算される**と判示しています（最判昭和59年4月27日）。

要件①　相続放棄をしなかった理由が、被相続人に相続財産が全く存在しないと信じたためであること

要件②　被相続人の生活歴、被相続人と相続人との間の交際状態その他諸般の状況からみて当該相続人に対し相続財産の有無の調査を期待することが著しく困難な事情があること

要件③　相続人が被相続人に相続財産が全く存在しないと信じた相当な理由があること

　つまり、上記①～③の要件を満たしていれば、相続放棄の申述期限を経過している場合でも、相続放棄ができる可能性があります。

　ただし、裁判所に対して上記の要件を満たしていることを法的な整合性をつけて適切に主張する必要があるため、**自身が相続人になったことを知ったときから3か月を経過している状況で相続放棄をしたいと考えている場合は、司法書士や弁護士に少しでも早く相談されることを推奨します。**

● 相続放棄の申述期限を経過してしまった場合

相続放棄の申述期限を
経過してしまった

→ (原則)
相続放棄できない

→ (例外)
最高裁判所の判例で判示してい
る**3つの要件**を満たしている場
合は、相続放棄が可能

● 相続放棄の申述期限を経過しても認められる3つの要件

（最高裁判所 昭和59年4月27日 判決の一部抜粋）

熟慮期間は、原則として、相続人が前記の各事実を知った時から起算
すべきものであるが、相続人が、右各事実を知った場合であつても、
右各事実を知った時から三か月以内に限定承認又は相続放棄をしな
かったのが、<u>被相続人に相続財産が全く存在しないと信じたためであ</u>
り、かつ、<u>被相続人の生活歴、被相続人と相続人との間の交際状態そ</u>
<u>の他諸般の状況からみて当該相続人に対し相続財産の有無の調査を</u>
<u>期待することが著しく困難な事情があって</u>、<u>相続人において右のよう</u>
<u>に信ずるについて相当な理由があると認められるとき</u>には、相続人が
前記の各事実を知った時から熟慮期間を起算すべきであるとするこ
とは相当でないものというべきであり、熟慮期間は相続人が相続財産
の全部又は一部の存在を認識した時又は通常これを認識しうべき時
から起算すべきものと解するのが相当である。

まとめ	□ 申述期限を経過した場合でも相続放棄できることがある □ 申述期限経過後の相続放棄は専門家へ相談した方がよい

相続放棄ができない場合がある

　相続放棄をする場合は、熟慮期間内（自己のために相続の開始があったことを知ったときから3か月以内）に家庭裁判所に対して「相続放棄の申述手続き」をする必要があります。しかし、熟慮期間内であっても、法律上、以下の事実がある場合は、相続を承認したものとみなされ、相続放棄をすることができなくなってしまう可能性があります。このことを「法定単純承認」といいます。

・遺産（預貯金など）を私的に使用してしまった場合

・遺産分割協議を行った場合

・遺産の株式を使用（売却換価・議決権行使）した場合

　つまり、相続人が遺産の全部または一部について処分行為（売却など）をしてしまった場合は、相続放棄をすることができなくなるということです。

　この点、誤って遺産の預貯金を一部引き出してしまったというだけ（使用していない状況）であれば、法定単純承認にはならないと考えられます。また、引き出した預貯金から葬儀費用を支払ってしまった場合については、葬儀費用の性質上、また社会的な見地から不当とはいえないとして、相続放棄が認められた裁判例もあります（大阪高等裁判所平成14年7月3日決定）。

　ただし「法定単純承認」に該当するかどうかの具体的な判断については、相続人の遺産に対する行為の内容やその他の状況などから総合的に検証する必要がありますので、ご自身で判断せず、司法書士や弁護士に相談をした方がよいでしょう。

　なお、相続放棄をした場合であっても、生命保険金を受け取ることができます（生命保険金は、民法上の遺産ではないため）。

Part

2

遺産の調査／
相続手続き

遺産を引き継ぐために何をするか

相続が発生した場合、
預貯金の調査はどうするの?

● 預貯金の凍結時期と調査方法

　預貯金の口座名義人に相続が発生した場合、その口座は凍結され、入出金や振込などができなくなります。しかし、相続が発生した場合に市区町村役場から金融機関に対して死亡した人の情報が共有されるわけではないため、通常、金融機関は、口座名義人に相続が発生したことを把握できません。つまり、**実際には被相続人の相続開始後すぐに口座は凍結されません**。相続人が相続手続きを行うために相続発生の事実を申し出た場合や、相続手続きのために「残高証明書」を請求した段階で口座が凍結されることになります。

　被相続人の生前に同居していた親族であれば、どの金融機関に口座を開設しているか把握できているケースも多いですが、被相続人が独り身で親族と疎遠だった場合などは、預貯金の調査が難航することもあります。そのような場合は、まずは、被相続人の自宅内に金融機関の通帳がないか捜索し、被相続人の通帳が見つからない場合は、クレジットカードの明細や年金の受取口座などを確認するなどして、金融機関の口座の特定を試みます。

　被相続人名義の口座がある金融機関が特定できた場合は、その金融機関に「残高証明書」や「取引履歴」を請求して、預貯金の残高や生前の入出金の動きなどを確認します。

　なお、金融機関に口座の有無を照会する場合、金融機関側は氏名、住所、生年月日等の情報を基に検索するため、**相続開始の何年か前に住所を変更している場合は、現住所だけでなく旧住所でも照会をかけることで、被相続人名義の口座が見つかることがあります**。

● 金融機関への残高証明書・取引履歴の請求方法

必要書類を用意して請求する

金融機関

相続人のうち1人から
単独で行うことができる

残高証明書・取引履歴の請求手続きの一般的な必要書類等

　①発行請求書　※金融機関によって様式が異なる

　②被相続人の死亡が確認できる戸籍（除籍）

　③請求者が相続人であることが確認できる戸籍

　④請求者の印鑑証明書

　⑤請求者の実印

　⑥請求者の本人確認資料（運転免許証・マイナンバーカードなど）

　⑦発行手数料　※金融機関によって金額が異なる

請求した証明書は、通常、1〜2週間程度で郵送で届く

◎残高証明書の注意点

残高証明書や取引履歴を請求すると口座は凍結される。そのため、自動
引落しで支払っているものがある場合は、事前に引落口座または支払方
法の変更をする必要がある

まとめ	□相続が開始しても金融機関の口座は自動的には凍結されない □金融機関の口座照会は、氏名、住所、生年月日等の情報を基に検索される

相続が発生した場合、
株式の調査はどうするの?

● 株式の調査方法とポイント

　被相続人が証券会社で口座を開設して株式を運用していた場合、通常のケースであれば、定期的に証券会社から「取引残高報告書」や「保有有価証券残高報告書」などの書類が送られてきます。

　これらの書類が確認できた場合は、郵送元の証券会社に対して「残高証明書」の発行請求をして、保有銘柄や保有株数を確認します。なお、被相続人が、相続開始の何年か前に住所を変更している場合は、預貯金の調査と同様に、現住所と旧住所のいずれの住所でも照会をかけたほうがよいでしょう。

　取引をしていた証券会社が不明な場合は、株式会社証券保管振替機構（通称「ほふり」と呼ばれる）に対して「登録済加入者情報の開示請求」という手続きを行うことで、被相続人名義の口座がある証券会社や信託銀行等の情報が確認できます。

　なお、2009年1月5日からの株券電子化の際に移行の手続きをしなかった株式（いわゆるタンス株）は、証券会社が発行する「取引残高報告書」などからは判明しません。

　この場合、前述の「登録済加入者情報の開示請求」を行い、特別口座を管理している信託銀行等を特定した上で、その信託銀行等に「残高証明書」を請求することになります。

　また、**上場会社ではない会社の株式の場合は、株主の情報（保有株式数など）は、その会社のみが把握しているケースが多いため、直接問い合わせをして確認をする必要があります。**

● 証券会社への残高証明書・取引履歴の請求方法

残高証明書・取引履歴の請求手続きの一般的な必要書類等

①発行請求書　※証券会社によって様式が異なる

②被相続人の死亡が確認できる戸籍（除籍）

③請求者が相続人であることが確認できる戸籍

④請求者の印鑑証明書

⑤請求者の実印

⑥請求者の本人確認資料（運転免許証・マイナンバーカードなど）

⑦発行手数料　※証券会社によって金額が異なる

→　請求した証明書は、通常、数週間程度で郵送で届く

●「登録済加入者情報の開示請求」の手続きの流れと必要書類

（手続きの流れ）

| 必要書類の用意 | → | 必要書類の郵送 | → | 開示結果の受取 |

※郵送先は証券保管振替機構のHPに記載

（必要書類）

①開示請求書（証券保管振替機構のHPからダウンロード可）

②請求者の本人確認資料（運転免許証・マイナンバーカードなど）

③相続人と被相続人の関係を示す戸籍等

④被相続人の住民票の除票等（調査対象の住所が記載されているもの）

※①以外はすべてコピーを郵送する必要がある（原本不可）

※費用は1件6,050円（税込）で、開示結果が代引きで郵送されるため、受取時に支払う

※法務局発行の「法定相続情報一覧図」（コピー可）を提出した場合は、1,100円（税込）の割引がある

まとめ

□ 株式の調査は証券会社の「取引残高報告書」をチェックする

□ 証券口座が不明の場合「登録済加入者情報の開示請求」を行う

相続が発生した場合、
不動産の調査はどうするの?

● 不動産の調査方法と注意点

　不動産の調査は、通常、以下の①～③の方法で行い、特定した不動産の「登記簿謄本（全部事項証明書）」を最寄りの法務局で取得して所有権や抵当権などの権利関係を確認します。

①「固定資産税納税通知書・課税明細書」を確認

　不動産の所有者には、毎年「固定資産税納税通知書・課税明細書」が届くため、その内容から不動産を特定できます。ただし「固定資産税納税通知書・課税明細書」は、**その年の1月1日の所有者に送付されるため、亡くなった年に取得した不動産は記載されません。**また、同一市町村内で固定資産税の課税標準額の合計が一定額（土地：30万円、家屋：20万円）に満たない場合は送付されません。

②「名寄帳（なよせちょう）」を取得して確認

　「名寄帳」は不動産を管轄する市区町村役場（東京23区は都税事務所）で取得するもので、被相続人が同一市区町村内で所有していた不動産の一覧が記載されています。ただし、一部の地域では、共有している不動産や非課税の不動産などが記載されないこともあるため、事前に「名寄帳」に記載される不動産を確認した方が安心です。

③不動産を取得した際の権利証（登記識別情報通知）を確認

　被相続人が不動産を取得した際の権利証（登記済証・登記識別情報通知）からは、被相続人が取得した不動産（未登記のものを除く）が、非課税の土地なども含めてすべて判明します。「名寄帳」に記載されていない不動産が、権利証（登記識別情報通知）から見つかることもあり、不動産の調査では非常に重宝します。

● 不動産の調査方法の4step

STEP①	「固定資産税納税通知書・課税明細書」を確認する

▼

STEP②	「名寄帳」を取得して確認する

▼

STEP③	被相続人が不動産を取得した際の権利証（登記済証・登記識別情報通知）を確認する ※権利証（登記済証・登記識別情報通知）が手元にある場合

▼

STEP④	特定した不動産の情報を基に、最寄りの法務局で「登記簿謄本（全部事項証明書）」を取得して権利関係を確認する

登記済証

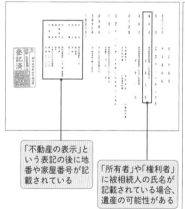

「不動産の表示」という表記の後に地番や家屋番号が記載されている

「所有者」や「権利者」に被相続人の氏名が記載されている場合、遺産の可能性がある

登記識別情報通知

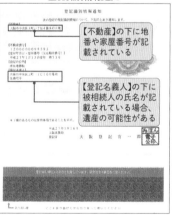

【不動産】の下に地番や家屋番号が記載されている

【登記名義人】の下に被相続人の氏名が記載されている場合、遺産の可能性がある

まとめ

☐ 相続対象の不動産の調査は「固定資産税納税通知書・課税明細書」や「名寄帳」をチェックする

☐ 被相続人が不動産を取得した際の「権利証（登記済証・登記識別情報通知）」がある場合は、その内容から不動産を特定できることがある

遺言があるかどうかを
調べることはできるの?

● 代表的な3種類の遺言の調査方法

遺言の調査方法は、遺言の種類によって異なります。

公正証書遺言

公正証書遺言のうち、昭和64年1月1日(東京地区は昭和56年1月1日)以降に作成されたものは、最寄りの公証役場で、相続人や利害関係人(受遺者など)から照会することができます(手数料無料)。なお、昭和64年1月1日より前に作成された公正証書遺言は、遺言を作成した公証役場を特定して直接照会をする必要があります。

自筆証書遺言

自筆証書遺言は、法務局における自筆証書遺言書保管制度を利用している場合を除き、法律などで決められた保管場所はありません。

そのため、実印や重要なものを保管している自宅のクローゼットや、貸金庫を契約している場合は貸金庫を確認することになります。また、信頼している親族などに保管を依頼しているケースもあります。

自筆証書遺言書保管制度を利用して作成された自筆証書遺言

被相続人が、法務局の自筆証書遺言書保管制度を利用していた場合で、かつ、被相続人自身が希望していた場合は、相続発生後、法務局から被相続人が事前に指定していた人に対して「遺言書が保管されている旨の通知」がなされます。

なお、相続人が通知の対象者になっていない場合でも、**特定の相続人などが相続手続きに必要となる「遺言書情報証明書」を請求すると、関係相続人全員に対して遺言書が保管されている事実が通知される仕組みになっています**(関係遺言書保管通知という)。

◉ 公正証書遺言の調査

→ 最寄りの公証役場で以下の必要書類を提出して照会を行う

①遺言者の死亡の記載がある戸籍（除籍）

②遺言者と請求者の相続関係（続柄）が証明できる戸籍

③請求者の本人確認資料（運転免許証・マイナンバーカードなど）
　または「実印と印鑑証明書（発行から3か月以内のもの）」

④請求者の認印

[公正証書遺言の調査ができる人]

利害関係人（法定相続人、遺贈の受遺者、遺言執行者など）

照会結果

令和○年○月○日

○○○○様

○○公証役場
公証人○○○○

遺言検索システム照会結果通知書
あなたから照会のあった○○○○様に係る公正証
書遺言の有無を調査した結果は次のとおりですので
通知します。

見つかった場合

記

日本公証人連合会で運営する遺言検索システムに
登録されており、その内容は次のとおりです。
遺 言 作 成 日　平成○年○月○日
証 書 番 号　平成○年第00　　　　号
遺言作成役場　○○公証役場
所 在 地　○○区○○○○○

　　　　　　　（TEL○○-○○○○-○○○○）

作 成 公 証 人　○○○○

以上

見つからなかった場合

記

あなたから提供された下記資料に基づいて、日本
公証人連合会で運営する遺言検索システムにより検
索しましたが、○○○○様の遺言公正証書は見当た
りませんでした。
　（なお、遺言検索システムには、平成元年以降
（東京地区については昭和56年）になされた遺言
についてのみ記録されており、それ以前の分は記録
されていません。）

□遺言者ご本人の死亡事項の記載のある除籍謄本
□あなたと遺言者ご本人との続柄がわかる戸籍謄
　本（全部事項証明）
□ その他資料（　　　　　　　　　　）
　　　　　　　　　　　　　　　　　　以上

まとめ

□ **遺言の調査方法は、遺言の種類によって異なる**

□ **遺言の存在が自動通知される仕組みは「自筆証書遺言書保
管制度」のみで採用されている**

被相続人が契約していた生命保険を調べることはできるの？

● 生命保険の調査方法と注意点

　被相続人が生前に契約していた生命保険を調査したい場合、まずは被相続人の「保険証券」を探します（保険会社からの郵送物がないか、通帳の引き落としに保険会社の名称がないかも調査する）。

　被相続人の遺品や通帳から保険契約を特定できない場合で、さらに調査を進めたい場合は、2021年7月1日から開始した「**生命保険契約照会制度**」を利用します。

　「生命保険契約照会制度」は、一般社団法人生命保険協会に対して、保険契約者または被保険者となっている生命保険契約の有無を照会できる制度です（大手保険会社は概ね照会対象になっている）。照会事由が死亡の場合は、死亡日から最低3年間遡って調査されます（利用料は照会対象者1名につき税込3,000円）。

　この制度の利用にあたって注意すべき点としては、**調査対象となる契約は、照会受付日において有効に継続している個人保険契約に限られ、保険金が支払済、解約済、失効している契約は含まれません**。つまり、被相続人が生命保険に加入していても照会前に保険金の支払いがされている契約については、照会結果に載ってきません。

　また、財形保険・財形年金保険、支払が開始した年金保険、保険金等が据置きとなっている保険は対象外です。

　なお、**生命保険金については、保険金の受取人の指定がなく、契約上からも受取人が判明しないなどの場合を除き、原則、相続財産にはなりません。ただし、税務上は「みなし相続財産」になるので注意が必要です。**

● 契約していた保険会社を調べるには

> ### 自宅などを調べる
>
> ・保険証券を探す
> ・保険会社からの郵送物を探す
> ・通帳を確認する
> 　まずは自宅などに生命保険契約の資料があるかを確認して、制度を利用する必要があるかを判断する

調べても
わからないとき

証券等が
見つかったとき

生命保険契約照会制度を利用する

契約の存在がわからない場合は、生命保険協会のホームページを確認し、必要書類を準備した上で、契約の有無の照会する

照会　　照会
回答　　回答
生命保険協会　保険会社

【利用料】1照会あたり 3,000 円（税込）
【必要書類】
・所定の申請書
・契約者や被保険者との関係を証明する戸籍など
・本人確認書類など
【利用できる人】
・法定相続人
・法定相続人の任意代理人など

保険会社へ連絡する

契約内容の確認や保険金・給付金の請求については、契約している保険会社に、直接連絡をする

連絡

保険会社

※契約の存在が判明した場合、契約内容の詳細や具体的な請求手続きについては、当該契約に基づく権利を有する人が生命保険会社に照会する

契約の存在が判明したとき

まとめ	□生命保険の調査は「生命保険契約照会制度」を利用する □照会時に支払済の契約は「生命保険契約照会制度」の対象外

遺産の相続手続きは誰が行うの？
期限はあるの？

●「遺産の相続手続きができる人」と「遺産の相続手続きの期限」

　遺産の相続手続きは、遺言で遺言執行者が定められている場合を除き、遺産分割協議でその遺産を取得した人または法定相続人が共同で行います（遺産分割協議で相続人全員を代表して相続手続きを行う相続人を定め、その相続人が単独で相続手続きを行う方法もある）。また、相続人のうちの一部相続人の居住地が遠方であるケースや、入院やケガをしていて外出や手続きが難しいというケースでは、相続人全員から司法書士などの専門家に依頼して相続手続き全般を代理してもらうこともできます。

　預貯金・株式などの金融資産の相続手続きは、相続開始後にできるだけ早めに手続きをするのが望ましいですが、特段期限はありません。そのため、手続きをするタイミングは自由です。ただし、株式の「未受領配当金」の時効が10年であり、それより短い期限（3年など）を設けている会社もありますので注意が必要です。

　一方、不動産については、2024年4月1日から相続登記の義務化がスタートしたため、相続登記の申請について法律上の期限が設定されます。

　前述のとおり、**預貯金や株式の相続手続きについては、特段期限が設定されていませんが、相続手続きを怠っているうちに当初の相続人にさらに相続が発生し"ネズミ算式"に相続人の数が増えて、相続手続きが煩雑化するリスクもあります**。ですから、各家庭の事情にもよりますが、相続が発生した場合の遺産の相続手続きについては、**相続開始から1年以内を目安に行うことをおすすめします**。

● 遺産の相続手続きができる人

（原則）

①遺言で遺言執行者が定められている場合は遺言執行者

②対象の遺産を取得した相続人または法定相続人全員

（例外）

①遺産分割協議で代表相続人と定められた相続人

②法定相続人全員から委任を受けた専門家

● 相続手続きに期限のあるもの・ないもの

相続手続きに
期限のある代表的なもの

不動産

→ 2024年4月1日以降、自分が相続人であることを知り、かつ、不動産の所有権を取得したことを知ったときから3年以内に相続登記を申請する必要がある

相続手続きに
期限のない代表的なもの

・預貯金

・株式（未受領配当金を除く）

・投資信託

→ 期限はないが、相続手続きを怠っているうちに当初の相続人にさらに相続が発生し "ネズミ算式" に相続人の数が増えて、相続手続きが煩雑化するリスクがある

まとめ	□相続手続きは、法定相続人全員または代表相続人を決めて行う □預貯金・株式の相続手続きに期限はないが、不動産にはある

遺産の預貯金は
いつから使えるの?

● 遺産の預貯金の性質と活用できる制度

　相続が発生すると、遺言がある場合を除いて、預貯金は法定相続人の共有財産（法定相続割合での共有）になります。

　そのため、相続人が複数名いる場合は、遺産分割協議を行い、その内容に基づいて金融機関で相続手続きをする必要があります。

　しかし、遺産分割協議の成立までに「被相続人の配偶者の生活費が支出できない」といった不都合が生じることがあります。

　このような場合、3つの条件（①遺産分割の調停または審判の申立てがされている、②相続債務の弁済や相続人の生活費捻出などの必要性がある、③他の共同相続人の利益を害しない）を満たすことで、家庭裁判所に「預貯金債権の仮分割の仮処分」を申し立てることができます。

　仮処分が決定された場合、原則、遺産の総額に申立人の法定相続分を乗じた額の範囲内で預貯金の仮分割が認められ、金融機関に対して「仮処分に基づく払戻請求」をすることが可能になります。ただし、利用のハードルが高く、また、お金がすぐに必要なケースには向いていない一面もあります。

　裁判所の関与なくスムーズに預貯金の一部を引き出す方法としては「遺産分割前の預金の払戻し制度」の利用が検討できます（限度額あり）。 この制度を利用することで、各相続人は単独で、被相続人の預貯金のうち一定の金額について、遺産分割協議前に払い戻しを受けることができます。

● 被相続人の預金に関する注意事項

相続が発生した場合、口座はすぐに凍結されないため、相続開始後もキャッシュカードを利用して出金ができてしまう。しかし、相続開始後の出金は、後日、相続人間のトラブルに発展する可能性もあるため、緊急の場合を除き、極力避けるべき

● 遺産分割前の預金の払戻し制度

相続開始時の預金額×1/3×払戻しを行う相続人の法定相続分
＝相続人が単独で払い戻しできる金額

預貯金1,200万円

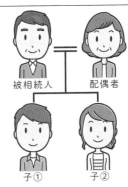

被相続人　　　配偶者

子①　　　子②

子①が払戻しできる金額　1,200万円×1/3×1/4＝100万円

「遺産分割前の預金の払戻し制度」では、1つの金融機関から払戻しを受けられる金額の上限を「150万円」と設定。そのため、仮に預貯金が1億円ある場合でも、その預貯金を1つの金融機関の口座のみで管理している場合は、150万円しか払戻しを受けられない。しかし、2つの金融機関に5,000万円ずつ預けていれば、150万円ずつ合計300万円まで払戻しを受けることができる（300万円以上を引き出す権利がある場合）

まとめ
□共同で相続した預貯金は、遺産分割協議で分ける必要がある
□緊急時は「遺産分割前の預金の払戻し制度」の利用を検討する

預貯金・株式の相続手続きは
どうするの?

◉ 預貯金・株式の相続手続きは、遺言の有無によって異なる

　被相続人名義の預貯金や株式の相続手続きは、対象機関に対して必要書類を提出して行いますが、相続人が1名のみの場合を除き、①遺言がある場合と、②遺言がない場合の2パターンに分かれます。

①遺言がある場合（受遺者が相続人のケース）

　遺言で遺言執行者が指定されている場合は遺言執行者が、遺言執行者が指定されていない場合は相続人（受遺者）が手続きを行います。相続手続きは、一般的に「遺言書（自筆証書遺言の場合は家庭裁判所の検認手続後のもの）」の他に、被相続人の死亡の記載がある「戸籍（除籍）」、財産を取得する受遺者である相続人の「戸籍」などを用意し、対象機関の所定の書式に必要事項を記入して行います。遺言執行者が手続きをする場合は、遺言執行者の「印鑑証明書」と「実印」、遺言執行者が手続きをしない場合は、一般的に受遺者である相続人の「印鑑証明書」と「実印」が必要になります。

②遺言がない場合

　遺言がない場合は、相続人が1名のみの場合を除いて、「被相続人の出生から死亡までの戸籍（除籍・改製原戸籍）」、相続人全員の「戸籍」、「遺産分割協議書」、相続人全員の「印鑑証明書」などを用意し、対象機関の所定の書式に必要事項を記入して手続きを行います。なお、**上記①と②のいずれの場合も「印鑑証明書」に期限（6か月以内など）が設けられていること**が多く、また、相続人（受遺者）の戸籍は、相続開始日より後日付で発行されたものを提出する必要があります（相続開始時に相続人が存命していた証明のため）。

● 一般的な預貯金・株式の相続手続きに必要な書類
（配偶者・子が相続人のケース）

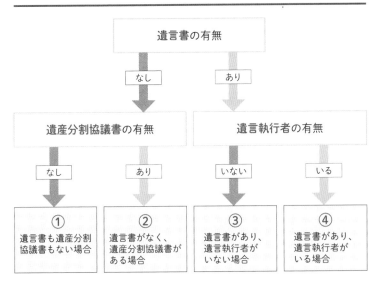

遺言書の有無

なし　　　あり

| 遺産分割協議書の有無 | | 遺言執行者の有無 | |

なし　　あり　　いない　　いる

① 遺言書も遺産分割協議書もない場合

② 遺言書がなく、遺産分割協議書がある場合

③ 遺言書があり、遺言執行者がいない場合

④ 遺言書があり、遺言執行者がいる場合

準備する書類

①の場合…対象機関所定の相続届、被相続人の出生から死亡までの戸籍
（除籍・改製原戸籍）、相続人全員の戸籍・印鑑証明書

②の場合…対象機関所定の相続届、被相続人の出生から死亡までの戸籍
（除籍・改製原戸籍）、相続人全員の戸籍・印鑑証明書、
遺産分割協議書

③の場合…対象機関所定の相続届、遺言書、被相続人の死亡の事実がわかる
戸籍（除籍）、受遺者である相続人の戸籍・印鑑証明書

④の場合…対象機関所定の相続届、遺言書、被相続人の死亡の事実がわかる
戸籍（除籍）、受遺者である相続人の戸籍、遺言執行者の印鑑証明書

まとめ

□ 預貯金や株式の相続手続きは、遺言の有無により必要書類
が異なる

□ 金融機関や証券会社の相続手続きの際に提出する「印鑑
証明書」には、一般的に期限が設定されている

不動産の相続手続き（相続登記）はどうするの？

● 相続登記は、遺言・遺産分割・法定相続の３パターンある

　不動産の相続手続きは、法務局に対して登記申請書と法律で定められた添付書類を提出し、登記名義人（登記上の所有者）の変更手続きを行います。このことを一般的に「相続登記」といいます。

　相続登記の方法は、大きく分けて①遺言による相続登記、②遺産分割協議による相続登記、③法定相続分での相続登記の３パターンがあり、各パターンによって用意する書類が異なります。

　これまで相続登記をするかどうかは任意でしたが、2024年4月1日より義務化されることになりました。具体的には、**自分が相続人であることを知り、かつ、不動産の所有権を取得したことを知ったときから3年以内に相続登記を申請する必要があります**。また、2024年4月1日より前に発生している相続についても、今回の相続登記の義務化の対象になりますので注意が必要です。

　なお、**相続で取得した不動産を第三者に売却する（所有権移転登記をする）場合は、前提として必ず相続登記を行う必要があります**。不動産の権利関係や相続関係がシンプルなケースでは、法務局の手続案内や書籍などを利用してご自身で相続登記をする方もいます。

　ただし、専門的な知識が求められるケースや「必要書類を作成、収集している時間がない」、「相続した不動産を売却することになったので、急いで相続登記をしなければならない」という場合は、登記の専門家である司法書士に相談することをおすすめします。

● 一般的な相続登記の必要書類（登記申請書を除く）

遺言による相続登記	法定相続分による相続登記	遺産分割協議による相続登記	取得する書類	取得場所	備考・注意点
●	●	●	被相続人の住民票の除票または戸籍の附票	住民票の除票 →住所地の市区町村役場 戸籍の附票 →本籍地の市区町村役場	本籍地の記載があるものを取得する
●	●	●	不動産の固定資産評価証明書	不動産の所在地が東京23区の場合 →都税事務所 上記以外の場合（原則） →不動産を管轄する市区町村役場	最新年度分を取得する（毎年4月1日から新年度分に切り替わる）
●	—	—	遺言書	遺言書の保管場所	自筆証書遺言書保管制度を利用していない自筆証書遺言の場合は、家庭裁判所の検認が必要
—	●	●	被相続人の出生から死亡までの戸籍謄本（改製原戸籍・除籍謄本）	本籍地の市区町村役場	・被相続人が出生から死亡までに在籍していたすべての戸籍謄本が必要 ・保管期間の経過などにより発行できない場合は「廃棄済証明書」を取得する ・「法定相続情報一覧図の写し」でも代用可能
●	—	—	被相続人の戸籍謄本（死亡日の記載があるもの）	本籍地の市区町村役場	・父母・祖父母・兄弟姉妹が相続人の場合は、相続関係の証明のために、最終の戸籍より前の戸籍（改製原戸籍・除籍謄本）が必要になることがある ・「法定相続情報一覧図の写し」でも代用可能
—	●	●	相続人全員の戸籍	本籍地の市区町村役場	・相続の開始日より後の日付のものが必要（相続開始時に生存していることを確認するため） ・「法定相続情報一覧図の写し」でも代用可能
—	—	●	遺産分割協議書		相続人全員の実印での押印が必要
—	—	●	相続人全員の印鑑証明書	住所地の市区町村役場	有効期限なし
●	—	●	不動産を取得する相続人の戸籍	本籍地の市区町村役場	・相続の開始日より後の日付のものが必要（相続開始時に生存していることを確認するため） ・「法定相続情報一覧図の写し」でも代用可能
●	●	●	不動産を取得する相続人の住民票	住所地の市区町村役場	法定相続分による相続登記の場合は、相続人全員のものが必要

まとめ

□ 2024年4月1日から相続登記の義務化がスタート
□ 相続登記のことで困った場合は、司法書士に相談をする

遺産の不動産の価格は
どうやって決まるの?

◉ 相続不動産を評価する3つの価格

　遺産の中に不動産（土地・建物）がある場合、その不動産の価格については、一般的に、利用用途に応じて3つの金額を使います。

　具体的には①時価（実勢価格）、②相続税評価額、③固定資産税評価額です。①の時価（実勢価格）は、実際に市場取引をする場合の不動産の価格です。取引が成立するまで金額は確定しませんが、取引相場や不動産会社による査定などを基に算出します。この金額は、不動産の立地や形状などによって②③の金額より高くなることも低くなることもありますが、需要と流通性の高い都心部の不動産の場合は、②③の金額より高額になるケースが多いです。

　次に、②の相続税評価額ですが、こちらは相続税や贈与税に関して土地の金額を算出する際に利用する金額で、「路線価方式」と「倍率方式」の2種類を使い分けます（建物については、③の固定資産税評価額を使用）。

　最後に、③の固定資産税評価額ですが、こちらは固定資産税や都市計画税の算出基準となる金額で、相続登記の登録免許税を算定する際などにも使われます**（3年ごとに評価額の見直しが行われる）**。

　なお、土地の場合、立地・形状などにもよるため一概にはいえませんが、国土交通省が毎年公表している「公示地価」を基準にした場合、①時価（実勢価格）は公示地価の1.1〜1.2倍程度、②相続税評価額は公示地価の0.8倍程度、③固定資産税評価額は公示地価の0.7倍程度が目安とされています。

◉ 公示価格・時価（実勢価格）・相続税評価額・固定資産税評価額の比較表

	公示価格（土地）		時価 （土地・建物）	相続税評価額／路線価 （土地）	固定資産税評価額 （土地・建物）
	公示地価	基準地価			
概要	公的機関が毎年公表している価額		市場で売買する価額	相続税を算出するときに利用する価額	固定資産税を算出するときに利用する価額
決定機関	国土交通省	都道府県	当事者	国税庁	市区町村
評価時点	毎年 1月1日	毎年 7月1日	取引時点	毎年 1月1日	3年ごとの 1月1日
公表時期	3月	9月	―	7月	4月

◉ 一般的な土地の評価額の目安

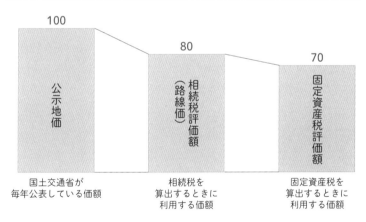

※不動産の立地・形状等によってはこの比率と大きく異なることもある

まとめ	□ 遺産の不動産価格は、利用用途に応じて3つの金額を使用する □ 相続登記の登録免許税は「固定資産税評価額」で算出する

投資信託・自動車・仮想通貨（デジタル遺産）の相続手続きはどうするの？

◉ 後日のトラブルを避けるため、遺産の相続手続きは速やかに

　遺産の中に投資信託・自動車・仮想通貨（デジタル遺産）がある場合は、これらの財産についても相続手続きをすることになります。

　まず、投資信託は、預貯金や株式の相続手続きの場合と同じく、相続人が複数名いる場合は、遺産分割協議で取得者と取得割合を決め、金融機関や証券会社等に必要書類を提出します（一般的に、預貯金や株式の相続手続きがある場合は、その際に同時に行う）。

　次に、自動車も相続人が複数名いる場合は、遺産分割協議で取得者を決めます。その後、必要書類を揃えて運輸支局で名義変更の手続きを行います。自動車については、相続による名義変更手続きを怠った場合の罰則は法律上ありませんが、**名義変更の手続きを行わない限り、相続で取得した自動車の売却や廃車（抹消登録）の手続きはできません**。そのため、遺産分割協議の成立後は、速やかに名義変更手続きをすることが望ましいといえます。

　最後に、仮想通貨は、多くの場合「暗号資産取引所」を利用して取引をしているため、**まずは被相続人が利用していた「暗号資産取引所」を特定します**。その後「暗号資産取引所」の運営会社（暗号資産交換業者）を調査し、預貯金や株式の相続手続きの場合と同様に、必要書類を提出して手続きを行います。

　なお、遺産のうち貴金属や家財道具などは、名義変更の手続きがありません。ある程度金銭的な価値のあるものについては、後日、誰が取得したかで揉めるケースもあるため「遺産分割協議書」に明記することを推奨します。

● 自動車の査定価額による相続手続きの違い

自動車の査定額が100万円を超える場合	預貯金や不動産の相続手続きと同様に、相続人全員の署名（記名）、実印での押印と印鑑証明書の添付された「遺産分割協議書」が必要
自動車の査定額が100万円以下の場合	「遺産分割協議成立申立書」という書類を利用することで、自動車を相続した相続人の単独の署名・押印で相続手続きが可能 ※100万円以下であることを証明する「査定書」が必要

● 仮想通貨（デジタル遺産）の相続手続きの流れ

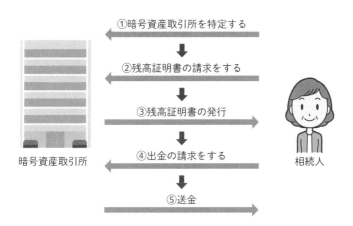

①暗号資産取引所を特定する

②残高証明書の請求をする

③残高証明書の発行

④出金の請求をする

⑤送金

暗号資産取引所　　　　　　　相続人

まとめ	□投資信託・仮想通貨についても、相続手続きをする必要がある □仮想通貨の相続手続きは最初に「暗号資産取引所」を特定する

生前に聞いていた遺産より
少ない場合はどうすればよいの?

● 被相続人の遺産が減少している理由を特定する

　相続発生後、被相続人の財産が想定していたものより少ないことがあります。例えば、預貯金が大幅に減っていたり、不動産が生前に名義変更(所有権移転登記)されていたりするケースです。

　まず、**原則として、相続開始時に存在する財産が、遺産分割協議の対象となる遺産**です。そのため、預貯金の残高が想定より少なかった場合や、まとまったお金が相続開始前に複数回引き出されている場合であっても、生前に被相続人自身のために使ったものであれば、残っている財産のみが遺産分割協議の対象となります。

　一方で、相続開始前にまとまった預貯金が特定の相続人に振り込まれている場合や、不動産が特定の相続人に生前贈与されている場合は特別受益に該当する可能性があり、その金額によっては、他の相続人の遺留分が侵害されている可能性もあります(特別受益はP.28、遺留分侵害額請求は、P.26参照)。

　また、特定の相続人が、被相続人の銀行口座から無断でお金を引き出して私的に使用していることもあります。このようなケースで、被相続人が生前に「不当利得返還請求」をしないまま相続が開始してしまったときは、この請求に関する権利は相続人に承継されます。

　つまり、**被相続人のお金を私的に使用した相続人に対して、他の相続人は、自身が相続した不当利得返還請求権を行使することができ**ます。ただし、私的使用に関する立証などのハードルが高いほか、訴訟も見据えて対応する必要があるケースも多いため、まずは弁護士に相談をするのがよいでしょう。

● 不当利得返還請求とは

正当な理由なく利益を得た人に対して、利益を返還してもらう請求をすること

被相続人の
預貯金を出金・使用

被相続人の自宅金庫にある
財産（貴金属など）を勝手に売却

被相続人の
株式を売却

被相続人の
自宅内の現金を使用

● 一般的な不当利得返還請求の流れ

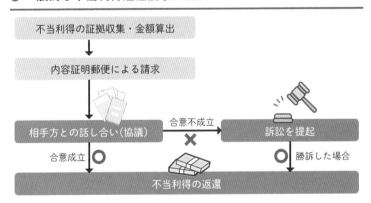

不当利得の証拠収集・金額算出

↓

内容証明郵便による請求

↓

相手方との話し合い（協議）　合意不成立 ✕　訴訟を提起

合意成立 ○　　　　　　　　　　　　　　　　　○ 勝訴した場合

不当利得の返還

※不当利得返還請求権は、請求できるときから10年もしくは請求できることを知ったときから5年間のいずれか早い方で時効となる

まとめ	☐ 原則、相続開始時点で現存している財産が相続の対象になる ☐ 被相続人のお金を私的に使用していた相続人に対しては、他の相続人は「不当利得返還請求」が可能

相続土地国庫帰属制度の利用

　令和5年4月27日より「相続土地国庫帰属制度」という制度（以下「本制度」という）がスタートしました。本制度は、相続や相続人に対する遺贈（以下「相続等」という）によって土地を取得した人が利用できるもので、一定の条件を満たしている土地であれば、国に引き取ってもらえるものです（相続等により取得した「建物」は対象ではない）。

　本制度は相続放棄と異なり、相続等により不動産を複数取得した場合であっても、特定の不動産のみを対象として利用できます。

　本制度を利用する場合は、土地が所在する都道府県の法務局・地方法務局（本局）に対して、土地1筆あたり1万4,000円の審査手数料を納付して承認申請を行います。その後、法務大臣（法務局）による要件審査で承認されると、10年分の土地管理費相当額の負担金（原則20万円）を納付することで、土地を国庫に帰属させる（国に引き取ってもらう）ことができます。

　ただし、前述のとおり、この制度を利用することができる土地は、一定の条件を満たしている必要があります。具体的には「建物がある土地」、「担保権が設定されている土地」、「土壌汚染されている土地」などは対象外です。当初は画期的な制度として期待されていましたが、利用手続きも簡単ではなく、対象となる土地の条件も緩くないため、利用実績はまだ少ないのが現状です。

　とはいえ、対象となる土地で利用を検討されたい方は、まずは、土地が所在する都道府県の法務局・地方法務局（本局）の相談窓口や、お近くの司法書士事務所に相談されることをおすすめします。

Part

3

遺言

遺言の法的効果と注意点を知る

遺言には
どういう効果があるの?

● 遺言の法的効果と種類

遺言とは、被相続人が生前に遺産の承継方法などを意思表示したもので、その内容を書面化したものが「遺言書」です。

遺言では、遺産の承継方法を自由に決めることができ「献身的に介護をしてくれた長男の妻にすべての財産を遺贈する」など相続人以外に全財産を承継させる遺言も可能です。遺言のうち一般的に利用されることが多いものは、次の3種類です。

①自筆証書遺言

紙とペンと印鑑があれば、いつでもどこでも誰の関与もなく作成できる遺言です。ただし、法律で定められた形式で作成をしないと無効になってしまうリスクがあり、また、相続開始後は、家庭裁判所で「遺言書の検認」の手続きを行わない限り、不動産の相続登記など遺産の相続手続きに利用できません。

②公正証書遺言

公証役場で公証人と証人2名の立会いのもと作成する遺言です。遺産の規模などに応じた手数料が発生しますが、公証人と証人が関与するため、後日取り消されるリスクが低く、また、遺言書の原本が公証役場で保管されるため紛失リスクがありません。

③法務局の自筆証書遺言書保管制度を利用した自筆証書遺言

上記①の自筆証書遺言を、管轄法務局に保管してもらう遺言です。紛失のリスクが無く、遺言者が希望をすることで、**相続開始後に予め指定した人に対して自動的に通知をしてもらうことができます。**また、費用も②の公正証書遺言の手数料よりリーズナブルです。

● 一般的な3種の遺言書

自筆証書遺言

遺言者が遺言書の全文（財産目録を除く）、日付、氏名を自署して押印する遺言

証人	第三者 の関与	保管 場所	費用	家庭裁判 所の検認	法定相続人に 対する通知制度
不要	不要	自宅など	不要	必要	なし

公正証書遺言

2名の証人の立ち合いのもと公証役場で作成する遺言

証人	第三者 の関与	保管 場所	費用	家庭裁判 所の検認	法定相続人に 対する通知制度
2名 以上	必要	公証役場	財産に 応じた 手数料	不要	なし

法務局の自筆証書遺言書保管制度を利用した自筆証書遺言

法務局に保管してもらう自筆証書遺言

証人	第三者 の関与	保管 場所	費用	家庭裁判 所の検認	法定相続人に 対する通知制度
不要	必要	法務局	3,900円	不要	あり

まとめ	□遺言は、法的要件を満たしていれば、相続人以外にすべての遺産を承継させることも可能 □一般的に利用されている遺言は3種類あり、作成コスト・法的安定性・法定相続人に対する通知制度など差異がある

遺言書を見つけたら
どうすればよいの?

● 遺言の種類によって異なる相続発生後の対応

　被相続人の相続開始後、自宅または貸金庫などから「遺言書」が
見つかった場合、遺言の種類に応じて以下の対応をします。

①自筆証書遺言

　**家庭裁判所に「自筆証書遺言の検認」の申立てをします。この手
続きをしない限り、相続登記をはじめ相続手続きに利用することが
できません。** なお「遺言書」が封筒に入っている場合は、法律上開
封することが禁止されているため、開封をせずに申立てを行います。

②公正証書遺言

　公正証書遺言は検認の手続きが不要 なため、特段の手続きをする
ことなく、そのまま相続手続きに利用できます。遺言で遺言執行者
が定められている場合は、遺言執行者が相続財産の管理や遺言の内
容を実現するために必要な一切の行為を行います。

③法務局の自筆証書遺言書保管制度を利用した自筆証書遺言

　法務局の「自筆証書遺言書保管制度」を利用した場合、遺言書の
原本は法務局で保管されていますが、遺言の作成時に法務局から
「保管証」が発行されるため、被相続人の自宅から「保管証」が見つ
かった場合は **記載されている『保管番号』を基に、法務局に「遺言
書情報証明書」を請求** します。

　遺言書情報証明書が取得できた場合は、それを利用して遺産の相
続手続きを行います。**なお、遺言書情報証明書を請求した場合、法務
局から他の関係相続人全員に対して、遺言書が遺言書保管所に保管さ
れていることが通知されます**（関係遺言書保管通知）。

● 自筆証書遺言の検認手続きの一般的な流れ

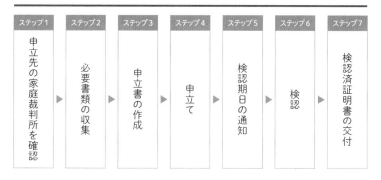

ステップ1	ステップ2	ステップ3	ステップ4	ステップ5	ステップ6	ステップ7
申立先の家庭裁判所を確認	必要書類の収集	申立書の作成	申立て	検認期日の通知	検認	検認済証明書の交付

● 自筆証書遺言の検認手続きの必要書類など

申立人	・遺言書の保管者　・遺言を発見した相続人
申立先	遺言者の最後の住所地を管轄する家庭裁判所
費用	・手数料：収入印紙800円分 ・郵便切手代：数百円〜（相続人の数により定まる） ・検認済証明書の交付費用：収入印紙150円分
必要書類	・申立書（当事者目録含む） ・遺言書のコピー（封がされていない場合のみ)※ ・遺言者の出生から死亡までの戸籍謄本 ・相続人全員の戸籍など ※検認期日には原本が必要

「日付が古い遺言」と「新しい遺言」があるケースの取扱い

　日付の異なる遺言が複数ある場合は、法律上、古い遺言の内容が新しい遺言の内容と抵触するときは、その抵触する部分については、新しい遺言で古い遺言を撤回したものとみなされる

※古い遺言の内容のうち新しい遺言の内容に抵触しない部分については、古い遺言も引き続き有効

まとめ	□自筆証書遺言は、家庭裁判所の検認手続きをしない限り、相続手続きに利用することができない □公正証書遺言と法務局の「自筆証書遺言書保管制度」を利用した自筆証書遺言は、家庭裁判所の検認手続きが不要

遺言の内容は絶対に守らなくては
いけないの?

● 遺言の内容と異なる遺産分割協議の可否

　被相続人の遺した「遺言」の内容が、相続人の意向と異なるため、遺言の内容と異なる遺産分割をしたいというケースは少なくありません。例えば「遺言のとおりに遺産を承継すると税法上の特例が使えないので、遺産の取得者や取得する財産を変更したい」といったケースです。結論として**遺言と異なる遺産分割協議を行うことは法律上可能です。**ただし、以下の条件すべて満たす必要があります。

①被相続人が、遺言で遺産分割協議を禁止していないこと

②相続人全員が遺言の存在と内容を知った上で、遺言と異なる遺産分割協議をしていること

③相続人以外の受遺者がいる場合、受遺者が同意をしていること

④遺言執行者が指定されている場合、遺言執行者の同意があること

　なお、特定の相続人に特定の財産を相続させる旨の遺言（特定財産承継遺言という）の場合、相続登記に関しては、登記実務上、一旦遺言の内容で登記を行い、その後、遺産分割協議の内容で登記をするべきとされています。この点については、遺産分割協議の内容で直接登記が可能とする見解もあるため、実際に手続きをする場合は、司法書士に相談することを推奨します。また、**法定相続人以外の人に遺産が遺贈されている場合に、遺言と異なる遺産分割協議を行うと、相続税以外に所得税・贈与税などが課せられる可能性がありますので、事前に税理士に相談するのがよいでしょう。**

● 遺言と異なる遺産分割

　以下の4つの条件をすべて満たす場合のみ、遺言の内容と異なる遺産分割協議が可能！

①被相続人が、遺言で遺産分割協議を禁止していない。

②相続人全員が遺言の存在と内容を知った上で、遺言と異なる遺産分割協議をしている。

③相続人以外の受遺者がいる場合、受遺者が同意をしている。

④遺言執行者が指定されている場合、遺言執行者が同意をしている。

（遺産の分割の協議又は審判等）
民法 第907条　共同相続人は、次条第一項の規定により被相続人が遺言で禁じた場合又は同条第二項の規定により分割をしない旨の契約をした場合を除き、いつでも、その協議で、遺産の全部又は一部の分割をすることができる。
➡　法律上、被相続人が遺言で禁止している場合は、遺言の内容と異なる遺産分割協議はできない！

注意！

　遺言の内容と異なる遺産分割をする場合は、不動産の相続登記をするにあたって、以下の見解に注意する必要がある

特定の不動産を「長男A及び二男Bに各2分の1の持分により相続させる。」旨の遺言書とともに、A持分3分の1、B持分3分の2とするA及びB作成に係る遺産分割協議書を添付して、A持分3分の1、B持分3分の2とする相続登記の申請はすることができない。
（『登記研究』546号152頁・質疑応答）

まとめ	□ 遺言と異なる遺産分割協議は法律上可能（一定の条件あり） □ 相続人以外の受遺者がいる場合は、税務の取扱いに注意が必要

遺言に納得できない場合は
どうすればよいの?

● 遺言に納得できない場合の対応方法

　相続開始後、被相続人が「遺言書」を書いていたことが判明して、中身を確認したところ、相続人として納得できない内容が書かれている場合があります。基本的に、遺言は本人の意思に基づいて書かれているものとして取り扱いますが「遺言の作成時点で認知症が著しく進行していて、遺言を書けるほどの判断能力はなかったはずだ」といった特段の事情がある場合は、以下の対応を検討します。

①遺言書に方式の不備がないか確認する

　遺言が「公正証書遺言」で作成されている場合は、法的要件を欠いている可能性は低いですが、自筆証書遺言を専門家の関与なく作成している場合は、法的要件を満たしていない可能性があります。法律上、自筆証書遺言については、全文（財産目録を除く）、日付及び氏名を自署して押印をする必要があり、**これらの要件を１つでも満たしていなければ、その遺言は無効**になります。

②遺言無効確認請求訴訟を提起する

　遺言の作成時に認知症が著しく進行していて遺言の作成能力がなかったなど、遺言が無効になる可能性がある場合は、裁判所に「遺言無効確認請求訴訟」を提起します。**この訴訟の結果、遺言の無効が認められた場合は、遺産分割協議を別途行う必要があるため、遺産分割調停・審判の手続きをする**ことになります（遺産分割調停・審判についてはP.94参照）。

　なお、遺言の無効確認請求訴訟は、裁判に関する専門知識が必要となるため、まずは弁護士に相談することをおすすめします。

● 遺言書が無効になる可能性があるケース

方式の不備	・自筆証書遺言に遺言者の署名と押印がない場合 ・自筆証書遺言を夫婦連名で作成している場合
不明確な内容	「仲のよい親族に預貯金を少しずつ相続させる」など遺言書の解釈が難しい場合
遺言能力を欠いた状態	重度の認知症などにより遺言の内容や効力を理解できない状態で遺言書を作成した場合
脅迫	誰かに脅迫されて遺言書を書いた場合

● 一般的な遺言無効主張の手続き

①内容証明郵便
遺言の無効を理由に、遺言執行を停止するよう通知する

※遺留分侵害額請求権の時効が1年のため、予備的に「遺留分侵害額請求」を行うケースもある

②提訴予告通知
証拠を添付した「提訴予告通知書」を相手に送付して反応を見る

③遺言無効確認請求訴訟の提訴
調停での合意の成立が見込める場合は、調停の申立てを行い、調停での合意の成立が見込めない場合には提訴する

④遺産分割協議（裁判で勝訴した場合）
遺言無効の判決確定後は、遺言が存在しなかったものとなるため、遺産分割協議をする

まとめ

□ 遺言の内容に納得できない場合、遺言の無効を争うことになる
□ 当事者間で遺言の有効性に争いがある場合で、当事者間で解決できない場合は「遺言無効確認請求訴訟」を裁判所に提起する

相続人ではない人に財産を残す
遺言の場合、どうすればよいの？

▶ 法定相続人以外の個人や団体に遺産を承継させることはできる

遺言では、法定相続人以外の第三者や、公益法人などに遺産を遺贈することが可能です。例えば、法定相続人ではない長男の妻による献身的な介護への感謝として「長男の妻○○にすべての財産を遺贈する」という内容の遺言や、生前お世話になった団体などに対して「すべての財産を売却換価して公益社団法人○○に遺贈する」といった遺言も法律上有効です。

近年は、遺言によって遺産の全部または一部を、公益法人をはじめ遺言者が支援したい団体に寄付をする「遺贈寄付」を行う人が増えています（P.148参照）。

ただし、上記の遺言のように法定相続人以外に大部分の遺産が遺贈されたケースにおいて、法定相続人に遺留分がある場合は、相続人から遺留分侵害額請求がなされると、遺留分侵害額相当の金銭を相続人に引き渡さなければいけないことになります（遺留分・遺留分侵害額請求はP.26参照）。

また、遺言の内容に納得できない場合で、かつ、遺言の効力に争いがある場合は、法定相続人は、裁判所に「遺言無効確認請求訴訟」を提起できます（P.78参照）。

なお、**被相続人の一親等の血族および配偶者以外の人が相続等により財産を取得した場合には、その人の相続税額が2割加算されるため注意が必要です。また、いわゆる「孫養子」等、被相続人の直系卑属が養子になっている場合には、その者も2割加算の対象となります。**

▶ 遺産の承継

相続
死亡により相続人に財産が移転する

遺贈
遺言によって財産が受遺者に移転する

被相続人　　　　　　　相続人

被相続人　　　　　　　受遺者

▶ 2割加算の相続税を払う相続人

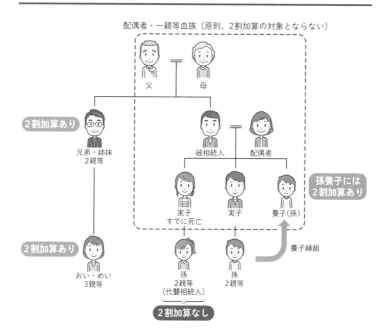

配偶者・一親等血族（原則、2割加算の対象とならない）

父　　　母

2割加算あり
兄弟・姉妹
2親等

被相続人　　配偶者

**孫養子には
2割加算あり**

実子
すでに死亡

実子

養子（孫）

養子縁組

2割加算あり
おい・めい
3親等

孫
2親等
（代襲相続人）

孫
2親等

2割加算なし

まとめ

☐ 遺言で相続人以外の個人や団体に財産を遺贈することは可能

☐ 第三者に全財産が遺贈された場合、遺言の内容に納得できない遺留分がある相続人は、遺留分侵害額請求権を行使できる

遺言に書かれていない遺産がある場合はどうすればよいの?

● 遺言から漏れている財産は、法定相続人の共有財産になる

遺言に、預貯金や不動産などの財産とその承継方法が事細かく書かれていたため「他に遺産はないだろう」と思っていたところ、後日、遺言に書かれていない遺産が判明することがあります。その場合、**遺言に書かれていない遺産については、遺言の効力が及ばないため、法定相続人が法定相続割合で共有する**ことになります。

この場合、遺産の共有状態を解消し、特定の相続人が取得するためには、遺産分割協議をしなければなりません。せっかく遺言を書いたにもかかわらず、相続人間でトラブルが生じる可能性もあるため、遺言の作成時には注意が必要です。

ところで、遺言書の作成後に所有財産が変化することを見越して、遺言に「本遺言に記載のない財産については、長男○○に相続させる」といった内容が書かれていることがあります。この場合、遺言に書かれていない遺産(遺言書の作成後に取得した財産も含む)は、すべて長男が取得することができます。このような遺産の漏れをカバーする条項は機能的ですが、ある程度資産価値が高い財産については、後日、遺言の解釈で疑義が生じないよう「本遺言に記載のない財産」といった表現で一括りにせず、財産の種類と承継先が確実に伝わるよう個別具体的に書くとよいでしょう。

なお、当然ですが、相続発生後は遺言書の修正や書き直しはできません。ですから、**これから遺言を書こうと考えている方は、まずは司法書士や弁護士に相談をして、法的リスクが低く、相続手続きの際に確実に機能する遺言を作成される**ことをおすすめします。

● 遺言から漏れている財産の取扱い

遺言から漏れている遺産は共有財産となるため、特定の相続人がその遺産を取得するためには、別途、遺産分割協議を行って財産を取得する相続人を決める必要がある

相続人（妻）　相続人（長男）　相続人（長女）

遺言から漏れている財産

遺言から漏れていた遺産は、法定相続割合で相続人全員の共有になる

遺産分割協議

遺産分割協議を行い、遺言から漏れていた遺産を誰が取得するか決める

遺産の分け方について遺産分割協議書のとおり合意します！

妻　　長男　　長女

遺産分割協議書

被相続人△△△△△（本籍：東京都
……）の遺産のうち□□については、妻○○○○が取得する。

令和○年○月○日

妻　住所…
　　氏名○○○○ 実印

長男　住所…
　　氏名○○○○ 実印

長女　住所…
　　氏名○○○○ 実印

まとめ

□ 遺言に記載されていない遺産は、法定相続人の共有財産になる
□ 遺言に記載されていない遺産を特定の相続人が取得するためには、遺産分割協議を行う必要がある

認知症発症後の「遺言」

実務上、遺言を書いてもらいたい場合に、本人が高齢などにより認知症になっているケースは少なくありません。このとき「認知症だから遺言は書けない…」と諦めてしまうのは早計です。

ひとえに認知症といっても、その進行レベルはさまざまで、また天候や時間帯によって症状に差が出ることもあります。

そもそも認知症だからといって、すべての法律行為が制限されるわけではなく、本人が状況を把握した上で意思表示をしているのであれば、その意思表示は法律上有効です。ですから、明らかに本人の判断能力がない場合を除き、認知症という情報のみをもって「遺言を書くことはできない」と結論付けることはできません。軽度の認知症であれば、遺言を書くことは十分可能です。

とはいえ、軽度の認知症であっても、相続人全員が納得できないような遺言を書く場合は、相続開始後のトラブルを防止するため、できれば後日無効になるリスクの低い「公正証書遺言」を利用するのが望ましいといえます。

なお、法律上は、成年被後見人であっても、判断能力が回復していて、医師2人以上の立会いがあれば遺言の作成は可能です。ただし、遺言に立ち会った医師が「遺言者が遺言をするときにおいて精神上の障害により事理を弁識する能力を欠く状態になかった」と遺言に記載して、署名と押印をする必要があるため、実際に利用できるハードルは高いといわざるを得ません。

やはり、しっかりとした判断能力があるうちに遺言を書いておくことに越したことはありません。遺言の作成を検討されている方は、お近くの司法書士事務所などに相談するとよいでしょう。

Part

4

遺産分割協議

遺産を分けるための手続きを知る

遺言がない場合、
遺産はどのように分けるの？

● 遺産を分けるためには、法定相続人全員の合意が必要

　遺言がない場合、被相続人の財産は法定相続割合に応じて相続人に承継されることになり、原則、すべての遺産は相続人の共有財産になります。この割合を変更して相続人が遺産を取得するためには、法定相続人全員で遺産の分け方を話し合って全員が合意をする必要があります。この話し合いのことを「遺産分割協議」といいます。

　遺産分割協議の内容は、相続人間で自由に決められるため「すべての遺産を長男○○が取得する」、「すべての財産を法定相続人全員で均等に取得する」という内容の遺産分割協議も可能です。

　ただし、**被相続人の借金や未払金などの債務について「すべての債務は長男○○が負担する」と相続人全員で合意した場合、その合意は相続人間では有効ですが、債権者には主張できないため注意が必要**です。なぜなら、このような債務の遺産分割が許されてしまうと、資力や返済能力のない相続人に債務を押し付けることなどが可能となってしまい、債権者の利益が不当に害されてしまうからです。また、**遺産分割協議は、被相続人の全財産を対象として行うこともできますが、一部の財産を先行して行うこともできます**。例えば、預貯金や株式の分け方は決まっていない状況で、不動産については特定の相続人が取得することで合意している場合は、不動産のみを対象とした遺産分割協議をすることができます。

　実務でも、相続税の納付期限が迫っていて相続人の現金が不足しているケースなどでは、一部の預貯金の遺産分割協議を先行して行い、納税資金を捻出することがあります。

▶ 遺産分割協議の必要性の判断チャート

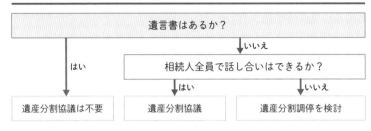

遺言書はあるか？

├ はい → 遺産分割協議は不要

└ いいえ → 相続人全員で話し合いはできるか？
　├ はい → 遺産分割協議
　└ いいえ → 遺産分割調停を検討

▶ 遺産分割協議書の一般的な記載事項

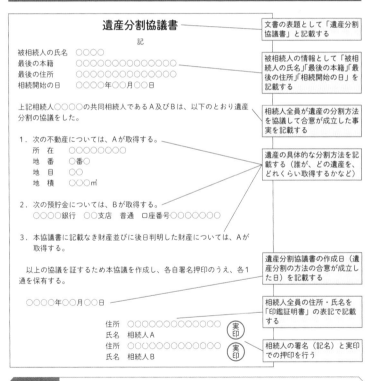

遺産分割協議書

記

被相続人の氏名　○○○○
最後の本籍　　　○○○○○○○○○○○○○○
最後の住所　　　○○○○○○○○○○○○○○
相続開始の日　　○○○○年○○月○○日

上記相続人○○○○の共同相続人であるA及びBは、以下のとおり遺産分割の協議をした。

1．次の不動産については、Aが取得する。
　　所　在　○○○○○○○○
　　地　番　○番○
　　地　目　○○
　　地　積　○○○㎡

2．次の預貯金については、Bが取得する。
　　○○○○銀行　○○支店　普通　口座番号○○○○○○○

3．本協議書に記載なき財産並びに後日判明した財産については、Aが取得する。

　以上の協議を証するため本協議を作成し、各自署名押印のうえ、各1通を保有する。

○○○○年○○月○○日

　　　　　住所　○○○○○○○○○○○　（実印）
　　　　　氏名　相続人A
　　　　　住所　○○○○○○○○○○○○○○　（実印）
　　　　　氏名　相続人B

【吹き出し注釈】

- 文書の表題として「遺産分割協議書」と記載する
- 被相続人の情報として「被相続人の氏名」「最後の本籍」「最後の住所」「相続開始の日」を記載する
- 相続人全員が遺産の分割方法を協議して合意が成立した事実を記載する
- 遺産の具体的な分割方法を記載する（誰が、どの遺産を、どれくらい取得するかなど）
- 遺産分割協議書の作成日（遺産分割の方法の合意が成立した日）を記載する
- 相続人全員の住所・氏名を「印鑑証明書」の表記で記載する
- 相続人の署名（記名）と実印での押印を行う

まとめ

☐ 遺言がない場合、法定相続割合を変更して遺産を取得するためには、遺産分割協議をする必要がある

☐ 遺産の一部を先行して遺産分割協議の対象とすることも可能

遺産分割協議は、
どのように進めればよいの?

▶ 遺産分割協議を行う場合、まずは法定相続人と遺産の特定を

　遺産分割協議をするには、法定相続人を確定する必要があります。そのためには、被相続人の出生から死亡までの戸籍(除籍・改製原戸籍)を取得して被相続人の相続関係を調査する必要があります。なお、相続発生後、法定相続人にさらに相続が発生した場合は、遺産分割協議には亡くなった相続人の法定相続人全員が参加することになります。そのため相続開始から長期間何ら手続きをしていないケースでは、遺産分割協議に参加する当事者が当初の何倍にも増えてしまい、遺産分割協議が難航することがあります。また、当初は「遺産は一切いらない」と言っていた相続人が、経済状況の変化などによってハンコ代(遺産分割協議の内容に合意する代わりに渡す金銭)を請求してくることもあるので、遺産分割協議は長期間放置せず、速やかに行うことを推奨します。

　法定相続人の調査と並行して、遺産分割協議の対象となる被相続人の遺産を調査します。被相続人が借金をしていた場合は、遺産の調査においてプラスの財産だけではなく、マイナスの財産も調査する必要があります。

　債務の調査は、被相続人名義の金融機関口座や遺品の中にある契約書などから調査します。また、被相続人宛の郵送物から借金や未払いの税金などが判明することもあります。被相続人の借金があるか不明な場合、信用情報機関に対して開示請求を行い、銀行や貸金業者からの借入れ状況等を調べる方法もあります。

● 遺産分割協議の流れ

STEP 1	法定相続人を確定させる

▼

STEP 2	遺産を調査する

▼

STEP 3	遺産分割協議を行う

▼

STEP 4	遺産分割協議書を作成する

▼

STEP 5	法定相続人全員の署名（記名）と実印での押印をする

● 被相続人の債務の調査

　被相続人の債務（借入金）を調査する場合、代表的な信用情報機関である以下の3社に情報開示請求を行うケースが一般的

3つの信用情報機関

CIC
割賦販売法・貸金業法
指定信用情報機関
https://www.cic.co.jp/

JICC
日本信用情報機構
https://www.jicc.co.jp/

JBA
全国銀行個人信用
情報センター
https://www.zenginkyo.or.jp/pcic/

※実際に調査する際は、各機関のHPに記載されている必要書類や手続きの流れをご参照ください

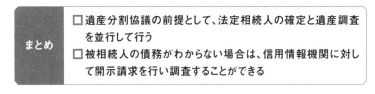

まとめ

□ 遺産分割協議の前提として、法定相続人の確定と遺産調査を並行して行う
□ 被相続人の債務がわからない場合は、信用情報機関に対して開示請求を行い調査することができる

相続人に未成年者・成年被後見人・行方不明者がいる場合はどうするの?

● 相続人が遺産分割協議に参加できない場合の対応方法

　遺産分割協議は法定相続人全員で行う必要があり、**相続人の一部を欠いた遺産分割協議は無効**です。この遺産分割協議を行う際、相続人の属性等によって、別途手続きが必要になることがあります。

　相続人に未成年者がいる場合、遺産分割協議には法定代理人である親権者が参加します。しかし、被相続人の妻と子が相続人の場合など、**親権者と未成年者の子の利益が相反する場合は、家庭裁判所に特別代理人の選任の申立て**をすることになります。

　この場合、未成年者の利益を保護するべく、基本的に未成年者の法定相続分を確保する内容の遺産分割協議が求められます。ただし、一定の相当性が認められる場合は、未成年者の取得する財産が法定相続分より少ない場合でも遺産分割協議が成立することもあります。相続人に成年被後見人がいる場合は、法定代理人である成年後見人が遺産分割協議に参加します。ただし、成年被後見人と成年後見人がいずれも相続人の場合は、未成年者の場合と同様に特別代理人の選任の申立てをすることになります（成年後見監督人が選任されている場合は、成年後見監督人が成年被後見人を代理）。

　相続人が行方不明の場合は、家庭裁判所に「不在者財産管理人」の選任の申立てを行い、不在者財産管理人が、遺産分割協議に参加することになります。**不在者財産管理人は、行方不明者の財産を適切に管理することを職務として選任されるので、特別代理人と同様に不在者の利益を保護するために遺産分割協議に参加**します。

● 遺産分割協議で利益が相反するケース・相続人が行方不明のケース

未成年者と親権者の利益が相反する

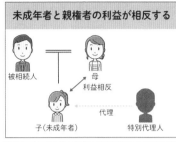

被相続人　母　　利益相反　　子（未成年者）　特別代理人

代理

成年被後見人と成年後見人の利益が相反する

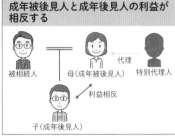

被相続人　母（成年被後見人）　代理　特別代理人

利益相反

子（成年後見人）

成年被後見人と成年後見人の利益が相反し、成年後見監督人がいる

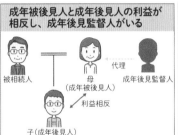

被相続人　母（成年被後見人）　代理　成年後見監督人

利益相反

子（成年後見人）

相続人が行方不明

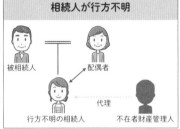

被相続人　配偶者　　代理　　行方不明の相続人　不在者財産管理人

● 特別代理人の選任の手続き（未成年者と親権者の利益が相反するケース）

① 子の住所地を管轄する家庭裁判所に対して「特別代理人選任」の申立て

▶

② 家庭裁判所は、申立書と資料（遺産分割協議書（案）など）の内容をチェック

▶

③ 家庭裁判所は、特別代理人候補について、未成年者との利害関係などを考慮して適格性を判断

▶

④ 特別代理人の候補者に対して、照会書が送付される
※家庭裁判所で候補者との面談が設定される場合もある

▶

⑤ 特別代理人の候補者は、照会書に必要事項を記入して家庭裁判所に返送

▶

⑥ 照会書の記載内容に問題がなければ、家庭裁判所より特別代理人に対して「特別代理人選任審判書」が送付

費用
・収入印紙　800円
・連絡用の切手代

必要書類
・特別代理人選任申立書
・未成年者の戸籍謄本
・親権者の戸籍謄本
・特別代理人候補者の住民票など
・遺産分割協議書案

まとめ	□遺産分割協議において、親権者と未成年者の子、成年被後見人と成年後見人の利益が相反する場合は、家庭裁判所に特別代理人の選任申し立てをする

遺産の不動産を売却して代金を相続人で分けたい場合はどうするの?

◉ 遺産を売却して売買代金を相続人で分配する「換価分割」

　遺産に被相続人の自宅などの不動産がある場合、相続人全員が「不動産は使用しないから、売却してその代金を相続人で分けたい」と考えるケースや、相続税の支払いのために不動産を売却しなければならないケースがあります。この場合、遺産分割協議において「換価分割」という手続きを選択することになります。**換価分割とは、不動産などの遺産を売却換価（現金化）して、その金銭を相続人で分配する遺産分割**の方法です。

　例えば、相続人が配偶者と子2名、遺産の不動産の売価が4,000万円のケースで、不動産を売却して諸経費（仲介手数料など）を控除した残額が3,800万円であれば、それを法定相続割合または相続人で合意した割合で分配します。なお、**不動産を換価分割する場合、被相続人名義から直接買主名義に登記を変更することはできないため、換価分割の前提として、相続登記を行う必要があります。**

　換価分割の他にも、特定の相続人が不動産を単独で取得する代わりに、他の相続人に金銭（代償金）を支払う「代償分割」という遺産分割の方法もあります。

　換価分割で不動産を売却したことにより利益が出た場合、その利益に対して所得税等がかかるため、確定申告が必要です（代表者1名の名義で売却した場合でも、代金を受け取るすべての方が申告を行う必要がある）。金銭による代償分割の場合は、代償財産を相続財産に加減算し、相続税の中で課税関係が完了します。

● 遺産分割の4つの方法

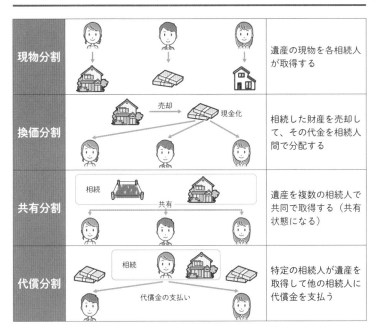

		遺産の現物を各相続人が取得する
現物分割		
換価分割	売却 → 現金化	相続した財産を売却して、その代金を相続人間で分配する
共有分割	相続 / 共有	遺産を複数の相続人で共同で取得する（共有状態になる）
代償分割	相続 / 代償金の支払い	特定の相続人が遺産を取得して他の相続人に代償金を支払う

Part
4

遺産分割協議

● 一般的な不動産の換価分割の流れと税金

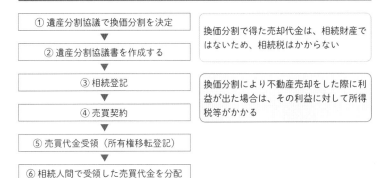

① 遺産分割協議で換価分割を決定
▼
② 遺産分割協議書を作成する
▼
③ 相続登記
▼
④ 売買契約
▼
⑤ 売買代金受領（所有権移転登記）
▼
⑥ 相続人間で受領した売買代金を分配

換価分割で得た売却代金は、相続財産ではないため、相続税はかからない

換価分割により不動産売却をした際に利益が出た場合は、その利益に対して所得税等がかかる

まとめ	□ 遺産を売却して相続人で分配したい場合は「換価分割」を行う □ 換価分割により利益が出る場合は、譲渡所得税が発生する

遺産分割協議がまとまらない場合はどうなるの?

● 遺産分割協議がまとまらない場合の対応方法

　相続人の関係性が悪い場合など、遺産分割協議ができない（まとまらない）こともあります。このような場合、無理に話合いを強行してしまうと、状況がさらに悪化してしまうことがあります。**任意での話し合いが難しい場合は、家庭裁判所に「遺産分割調停」を申し立て、家庭裁判所の関与のもと解決を図る方法を検討します。**

　遺産分割調停では、家庭裁判所の裁判官1名と調停委員2名を交えて、遺産の分け方を話し合います。各相続人が遺産分割に関する具体的な希望を裁判官や調停委員に伝え、その内容をもとに遺産の分け方を協議し、無事に相続人全員が合意することができれば、その合意に従って遺産を分割します。

　遺産分割の合意が成立した場合は、**合意した内容が調停条項として定められ、これを記載した「調停調書」が作成**されます。この調停調書は、**裁判上の確定判決と同じ効力がある**ため、特定の相続人が金銭の支払いを受ける旨の条項が定められていれば、その相続人は、支払義務のある相続人に対して金銭の支払の強制執行をすることが可能です。

　一方で、合意が成立せず調停不成立となった場合は、遺産分割調停は終了し「**遺産分割審判**」という手続きに移行します。遺産分割審判は、裁判官が相続人全員の主張を聞いた上で遺産の分割方法を決めるものです。**裁判官が、遺産の種類・性質・各相続人の年齢・職業などを考慮して遺産分割の内容を決定するため、必ずしも相続人の全員が納得できる結果になるとは限りません。**

● 相続手続き

遺産分割協議を行う

○ 合意成立　　　　　　　　　✕ 合意不成立

「遺産分割協議書」を
作成して
相続手続きを行う

家庭裁判所に
遺産分割調停の申立てを
行うことを検討する

● 遺産分割協議から遺産分割審判までの流れ

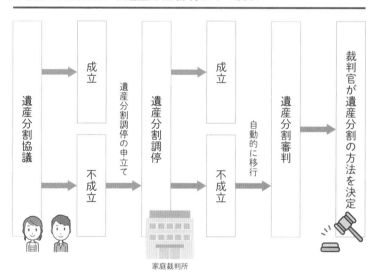

遺産分割協議 → 成立

遺産分割協議 → 不成立 → 遺産分割調停の申立て → 遺産分割調停 → 成立

遺産分割調停 → 不成立 → 自動的に移行 → 遺産分割審判 → 裁判官が遺産分割の方法を決定

家庭裁判所

まとめ	□任意での遺産分割協議がまとまらない場合は、家庭裁判所の遺産分割調停の手続きを検討する □遺産分割調停でも話し合いがまとまらない場合は、遺産分割審判の手続きに移行し、裁判官が遺産分割の内容を決定する

遺言や遺産分割協議で借金の負担
割合を自由に決めることはできるの?

● 債務の遺産分割は相続人間では有効でも債権者には主張できない

　遺言書がない場合、遺産の分割方法は、原則、相続人間で自由に決めることができますが、注意すべき点があります。それは、**債務(借金など)の遺産分割は、相続人間でのみ有効**ということです。被相続人が生前に借金をしていたケースで、遺言や遺産分割協議によって特定の相続人がすべての遺産を相続することになった場合、「遺産をすべて取得したのだから、借金もすべて支払う義務がある。」と考える方は少なくありません。

　しかし、法律はそのような取り扱いにはなっていません。特定の相続人がすべての債務を負担するという遺言がある場合や、債務に関して法定相続分と異なる負担割合での遺産分割協議が成立した場合であっても、それを債権者に対して主張することはできません。

　つまり、**各相続人は、自身がプラスの財産を取得したかどうかにかかわらず、原則、法定相続割合に応じた債務の履行義務があります**。相続人の立場からすると不平等にも思えますが、法律上このような取り扱いにしておかなければ、資力や返済能力のない相続人に債務を押し付けることなどが可能となってしまい、債権者の利益が不当に害されてしまいます。なお、特定の相続人がすべての借金を相続するという遺産分割協議が成立した後に、債権者がその遺産分割協議の内容に承諾の意思表示をした場合は、他の相続人は借金を返済する義務がなくなります(事実上、債務の遺産分割が成立)。

● 債務の相続

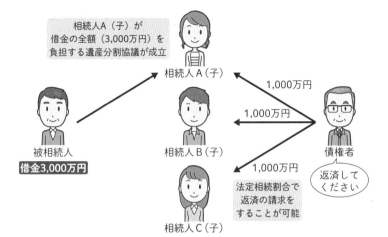

相続人A（子）が
借金の全額（3,000万円）を
負担する遺産分割協議が成立

相続人A（子）

1,000万円

1,000万円

相続人B（子）

被相続人
借金3,000万円

債権者

返済して
ください

1,000万円

法定相続割合で
返済の請求を
することが可能

相続人C（子）

借金などの債務の遺産分割
は、相続人間では有効だが、
債権者には主張（対抗）でき
ない。債権者は、法定相続割
合で債務の履行を請求するこ
とができる

→

債権者の承諾を得ることがで
きれば、遺産分割協議の内容
に基づいた債務の承継が可能
になる

最高裁判所 昭和34年6月19日 判決の要旨
債務者が死亡し、相続人が数人ある場合に、<u>被相続人の金銭債務その</u>
<u>他の可分債務は、法律上当然分割され、各共同相続人がその相続分に</u>
<u>応じてこれを承継する</u>ものと解すべきである。

まとめ	□ 遺言や遺産分割による債務の分割は、債権者に主張できない □ 特定の相続人が法定相続分を超えて債務を承継する場合 　 は、債権者の承諾が必要

『相続放棄』と『遺産放棄』の違い

　世の中では『相続放棄』と『遺産放棄』とが同じ意味の言葉だと誤解している方が少なくありません。しかし、相続において『相続放棄』と『遺産放棄』は、文字の違いだけではなく、法的効果が全く異なります。

　まず『相続放棄』とは、家庭裁判所で相続放棄の申述手続きを行うことで「はじめから相続人とならなかったものとみなす」という法的効果を生じさせる手続きのことです。

　相続放棄をした場合、預貯金や不動産などのプラスの遺産、借金や未払い金などのマイナスの遺産のすべてに関して、相続する権利を失います。

　一方で『遺産放棄』とは正式な法律用語ではなく「遺産は要らない」という相続人の個人的な意思表示であったり、遺産分割協議における一種の取り決めに過ぎません。

　そのため『遺産放棄』をした場合であっても、法律上は相続人として取り扱われるため、被相続人の遺産に借金などの債務があれば、その債務を法定相続割合で承継することとなり、債権者に対して借金を返済する義務を負います（相続放棄をしていれば、借金などの債務の支払義務は一切生じない）。

　『相続放棄』ではなく『遺産放棄』を選択するケースとしては、遺産にマイナスの財産がない場合で、かつ、遺産を一切受け取りたくない場合など相続放棄の法的効果を求める必要がなく、遺産の取得も拒否したい場合などが考えられます。

　なお『遺産放棄』をしたい場合は、特に必要な手続きや方式はなく、相続人がその旨の意思表示をすれば足ります。

Part

5

相続税

「だれに」「どんなときに」「いくら」課税されるのか

相続税はどんなときに
払うことになるの?

● 相続財産が一定額を超えると相続税がかかる

　相続税は亡くなった人の財産にかかる税金ですが、すべての方に相続税が課されるわけではありません。一定額以上の財産を所有していた場合に相続税が課税されますが、この際に**相続税がかかるボーダーラインのことを基礎控除**と言います。不動産、預貯金、株式などの財産が基礎控除を超えると、その超えた部分に対して相続税がかかります。この基礎控除は

　『**3,000万円＋600万円×法定相続人の数**』

で計算されます。相続人が多いほど基礎控除が多くなり、相続税がかかりにくくなる、という仕組みです。

　例えば相続が発生し、その相続人が配偶者と子ども2人だった場合、

　基礎控除 = 3,000万円 + 600万円 × 3 = 4,800万円

となります。次いで配偶者に相続が発生した場合の基礎控除は、相続人が残る子ども2名のため、4,200万円となります。同じ家族に起こった相続であっても、あくまでもそのときの相続人の数によって基礎控除が決まることに注意が必要です。

　また、被相続人が所有していた財産が基礎控除を超えるか(相続税がかかるか)どうかは、相続税がかかる財産の相続税評価額により判定します。遺産分割協議の対象とならないのに相続税が課税される財産があれば、逆に遺産分割の対象でも相続税が課税されない財産もあります。また評価額は売却した際の価格に限らず、相続税特有のルールに従って計算します(P.102、P.108など参照)。

● 相続財産と基礎控除の関係

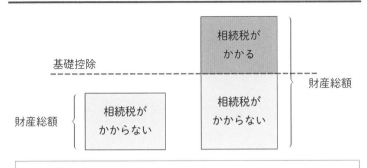

基礎控除額　3,000万円 + 600万円 × 法定相続人の数

● 相続人の数と基礎控除額の一覧表

	相続人の人数 （×600万円）	基礎控除額
一律 3,000万円 ＋	1人（600万円）	3,600万円
	2人（1,200万円）	4,200万円
	3人（1,800万円）	4,800万円
	4人（2,400万円）	5,400万円
	5人（3,000万円）	6,000万円

相続人の数によって
基礎控除額が決まる

まとめ	☐ 相続税がかかるかどうかは、家族構成によって決まる ☐ 不動産の価値が高い都市部ほど相続税はかかりやすい

相続税はどうやって
計算するの?

● 複雑な相続税額の計算方法

　相続税を調べていくと、右図のような税率表が出てきます。そうすると「相続財産全体にこの税率を掛けるんだな」とか「各自が取得した財産の金額にこの税率を掛けるんだな」と考える方が多いです。しかしながら、実際にはどちらも不正解で、正確には下記の手順で計算を行います。

相続税の計算

①遺産総額から基礎控除を差し引く

②①の金額を、法定相続分で按分する

　(実際にいくら相続したかは、この時点では無視する)

③②で按分した金額を早見表に当てはめて各人ごとに税額を計算

　(各財産額×税率−控除額)

④③で各人ごとに計算した税額を合計する (相続税の総額)

⑤④で計算した税額を、実際の相続財産の割合に応じて按分する

　このように計算することで、**遺産分割の結果にかかわらず、相続税の総額が一定になる**ようにしています。また、このように税額を計算した後、配偶者の税額軽減や未成年者控除等、相続人の属性等による税額軽減の規定が適用されて納税額が少なくなる場合があります (P.116参照)。

　上記のような計算を行うことから、「同じ財産額であれば、相続人が多い方が税額が少なくなる」。逆に「相続人が少ないと相続税が高くなる」といった傾向もあります。

● 相続税率早見表

各相続人の法定相続分に基づく取得金額	税率	控除額
〜1,000万円	10%	0円
1,000万円〜3,000万円	15%	50万円
3,000万円〜5,000万円	20%	200万円
5,000万円〜1億円	30%	700万円
1億円〜2億円	40%	1,700万円
2億円〜3億円	45%	2,700万円
3億円〜6億円	50%	4,200万円
6億円〜	55%	7,200万円

● 相続税の計算例（財産1億円・相続人3名のケース）

財産1億円

基礎控除控除後の金額：5,200万円

	母	子A	子B
法定相続分	1/2	1/4	1/4
法定相続分による取得金額	2,600万円	1,300万円	1,300万円
税額	340万円	145万円	145万円
合計税額	630万円		

実際の相続割合に合わせて按分

まとめ	□相続の仕方にかかわらず、相続税の総額は一定 □総額を計算した後、財産の取得割合に応じて振り分ける

相続税の申告に必要な
書類（資料）は？

◉ 申告にはたくさんの資料が必要

　相続税の申告書を作成するためには大きく分けて①相続人の確定のための書類 ②財産・債務の確定のための書類 ③特例を受けるための書類が必要です。書類が取得できないと遺産分割協議も相続税申告書の作成もできず、手続きが進まないこともあるため、早めに収集することをお勧めします。

　①は**相続人を確定するための書類**です。被相続人の出生から死亡までの戸籍・改製原戸籍、相続人の戸籍等が必要です。相続人のうちにすでに亡くなっている方がいると取得する書類が増え、時間もかかるため注意が必要です。戸籍・改製原戸籍・住民票に代えて法定相続情報一覧図を利用することもできます。

　②は**相続開始日現在の財産・債務を確定するための書類**です。不動産であれば名寄帳や登記簿、預貯金や有価証券であれば残高証明書が該当します。残高証明書は相続開始日の残高で発行してもらう必要があります。これら以外にも財産の推移等の確認のため、預金通帳等が必要になることもあります。

　③は配偶者の税額軽減や小規模宅地等の特例等、相続税が減少する特例を受ける際に、**特例ごとに定められた所定の資料を提出**することになります。

　また、原本の提出が必要なのは印鑑証明書のみです。その他の書類はコピーやデータでも構いません。現在では相続税も電子申告が進んでおり、データでやりとりすることで、コピーや郵送の手間を省くことができるようになっています。

● 必ず必要な書類

相続人等の確定	被相続人の戸籍謄本と改製原戸籍
	被相続人の住民票の除票もしくは戸籍の附票
	相続人全員の戸籍謄本
	相続人全員の住民票
	法定相続情報一覧図（これがある場合、上記4点の書類は不要）
	相続人全員のマイナンバー確認書類
	相続人全員の印鑑登録証明書（遺産分割協議を行った場合）※原本

● 財産の種類や特例によって必要な書類（一部）

財産等の確定	登記簿謄本
	名寄帳（固定資産税課税明細書、評価証明書）
	公図
	路線価図
	残高証明書
	預金通帳
	保険証券
	借入金の残高証明書（返済予定表）
	葬式費用の領収書
	過去の贈与税申告書・届出書
	遺言書または遺産分割協議書の写し

まとめ	□ 相続人や財産の特定のために資料が必要 □ 所有している財産の種類によって必要な書類が異なる

相続税は誰が払うの？

● 原則は財産をもらった人、ただし例外あり

　P.100で相続税がかかる基準について解説しました。では、相続税がかかるだけの財産があった際に、実際に相続税を払う人（相続税の納税義務者という）は誰でしょうか。

　相続税の納税義務者となる最初の条件は「**相続や遺贈（死因贈与を含む）で財産を取得した人**」です。「相続人」となっていないところがポイントで、**被相続人の死亡により財産を取得した人は、法定相続人でなくても納税義務者になる可能性があります**。ここでいう「財産」には、民法上の相続財産だけでなく、相続税法上の「みなし相続財産」が含まれます。代表的なものは生命保険金や死亡退職金、教育資金一括贈与の特例で受けた財産のうち残っている残額（管理残額）などがあります。これらを受取った人は、預金や不動産等の財産を相続していなくても、相続税の納税義務者になるため注意が必要です。

　また相続や遺贈を受けていなくても、被相続人から生前に贈与を受けて**相続時精算課税制度を利用していた人**も納税義務者となります。海外に財産があったり、被相続人や相続人が外国人または外国に居住している場合は複雑です。この点はP.134で詳しく解説します。

　稀なケースですが、一部の相続人が相続税を納めていない場合、「連帯納付義務」の制度により、同じ被相続人から財産を相続した他の相続人が連帯して相続税の納付義務を負うことになります。連帯納付義務の金額には上限がありますが、このような事態にならないよう、注意が必要です。

● 納税義務者のパターン

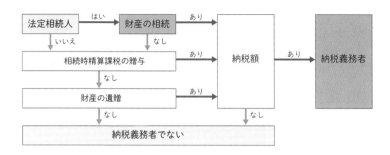

● 連帯納付義務

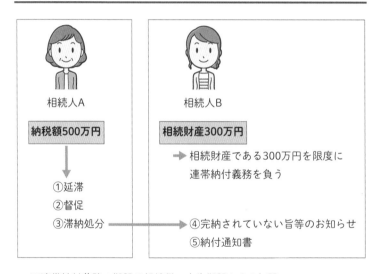

相続人A

納税額500万円

①延滞
②督促
③滞納処分

相続人B

相続財産300万円

➡ 相続財産である300万円を限度に
　連帯納付義務を負う

➡④完納されていない旨等のお知らせ
　⑤納付通知書

※連帯納付義務の期限は相続税の申告期限から5年間

まとめ	□相続人ではなくても納税義務者になることがある □相続人の一部が税金を納めないと、連帯納付義務が発生する

相続税が課税される
財産は何？

● 相続税特有の課税対象「みなし相続財産」に注意

　相続税が課税されるのは、被相続人が死亡時に有していた現金・預貯金、株式や投資信託・国債等の有価証券、土地・建物等の不動産、車、ゴルフ会員権等の財産です。これらは民法上の相続財産で、遺言に記載されたり、遺産分割協議の対象となったりするものです。

　これに加えて、死亡により給付される死亡保険金や死亡退職金等は、**民法上は相続財産ではありませんが**、**相続税法上は課税の対象となる「みなし相続財産」**になります。死亡保険金だけでなく、被保険者が被相続人以外の保険で、被相続人が保険料を負担しているようなケースは、保険金が支払われていなくても相続税の課税対象となることがあります。その他にも生命保険金は課税関係が複雑なため、右の図表も参考にしてください。

　さらに、**相続開始前3年以内（令和6年1月1日以降の贈与は7年以内）に贈与された財産や相続時精算課税制度を適用して贈与された財産**も課税対象となります（相続時精算課税制度はP.164参照）。

　これら課税対象となる財産から非課税財産（P.110参照）が除外され、債務・葬式費用等が控除されます。債務は相続開始時に確定しているものが控除できます。遺言執行費用や相続登記の費用は債務控除できません。葬式費用は通夜・告別式が主な対象で、49日や法事は含まれません（納骨費用は控除可）。この残額が相続税の課税される財産の課税価格となり、課税価格が基礎控除を超えている場合、相続税がかかることになります。

● 課税財産のイメージ

民法上の 相続財産 （預貯金、不動産、株式等）		課税対象
みなし相続財産	葬式・納骨費用	
生前贈与財産	債務 （借入金、未払金等）	
プラスの財産	マイナスの財産	

● 課税が複雑な生命保険金

被保険者	保険料負担者	保険金受取人	課税方式
被相続人	被相続人	相続人A	相続税（みなし相続財産）
相続人A	被相続人	相続人A	相続税（みなし相続財産）
相続人A	被相続人	被相続人	相続税（本来の相続財産）
相続人A	相続人A	相続人A	所得税
相続人A	相続人A	相続人B	贈与税

まとめ	□ 原則として、民法上の相続財産が課税対象 □ みなし相続財産や過去の贈与財産も相続税の対象

相続税が課税されない
財産もあるの？

● 資産価値があっても相続税が課税されない財産もある

　前節では相続税のかかる財産を紹介しましたが、その財産の中にも、政策上の理由等で相続税がかからないこととされている財産（非課税財産という）があります。ここでは非課税財産のうち代表的なものを紹介します。

①墓地、仏壇、仏具、祭具

　これらは基本的に税金がかかりませんが、純金製で日常礼拝に用いず、換金できるようなものは課税されることもあります。

②生命保険金の一部

　死亡を原因として支払われた保険金のうち『法定相続人の数×500万円』は非課税となります。これは、生命保険金がその後の相続人の生活原資となることからの政策的配慮です。

③死亡退職金の一部

　死亡により退職し、3年以内に支給が確定した退職金は、死亡保険金と同様『法定相続人の数×500万円』が非課税となります。また、会社から支払われる弔慰金も月額給与×6か月分（業務中死亡の場合は36か月分）が非課税となります。

④国や地方公共団体へ寄付した財産

　相続税の申告期限までに国や地方公共団体、公益法人等に寄付した財産は、非課税とされます。

　上記に記載したもの以外では、私たちの相続には関係ありませんが、皇太子が皇位を受け継ぐ際に一緒に受け取る三種の神器等も非課税財産となっており、相続税法にもきちんと記載されています。

● その他の非課税財産

公益事業目的財産
宗教、慈善、学術、その他公益を目的とする事業を行う個人等が取得し、公益事業に使われることが確実なもの
条例による給付金受給の権利等
心身障害者扶養共済制度によって支払われる年金
個人経営の幼稚園・養護学校等の事業で使っていた財産
相続人が幼稚園等の経営を引き継ぐことが条件

● 生命保険金・死亡退職金（非課税の対象となるもの）

	対象	対象外
生命保険金	死亡保険金 死亡保険金と共に支払われる前納保険料、剰余金等	生前の手術に対する保険金 生前の入院に対する入院給付金 保険の解約に伴う返戻金
退職金	死亡後3年以内に支給が確定したもの	生前に退職し、相続開始後に支給されたもの 死亡後3年経過後に支給が確定したもの

まとめ	□ 死亡保険金や退職金は非課税となるものか、注意する □ 墓地や仏具は非課税だが、一方で墓地等の購入費用は債務控除できない

相続税はいつまでに、
どうやって払う？

> **▶ 申告期限は10か月以内。それまでに全額納付することが原則**

　相続税の申告期限は相続開始日の10か月後です（厳密には「亡くなったことを知った日」の翌日を起算。ほとんどの場合は相続開始日を起点にするとわかりやすい）。例えば2024年1月25日に相続が発生した場合には、10か月後の2024年11月25日が相続税の申告期限となります。申告期限当日が「土・日・祝日」だった場合は、休み明けの平日が申告期限となります。税金の納付期限も同じ日になります。

　相続税の申告・納税の前には、相続放棄の期限（原則として相続開始から3か月以内）、所得税等の準確定申告（原則として相続開始から4か月以内）があり、さらに財産調査・財産の評価・遺産分割協議を行う必要があります。「思ったより時間がない」と感じられる方がほとんどだと思います。**相続が発生したら、なるべく早いうちに専門家に相談したり、手続きを始めたりしたほうがいい**でしょう。また、遺言書があると、相続手続きが非常にスムーズになります。

　相続税の納税は、納付書を金融機関に持ち込み、現金または口座からの振替えにより行うことが一般的です。現金が用意できれば、税務署に行って支払うことも可能です。納税額が30万円以下であれば、QRコードを作成し、コンビニ等で納税することも可能です。また、納税額が1,000万円以下かつ限度額の範囲内であれば、クレジットカードによる納付も可能です。ただし、クレジットカード納税の場合は決済手数料がかかります（ポイントが付くこともありますが、手数料の方が高いことが多い）。

● 相続に関する主な手続きのスケジュール

相続開始日（被相続人が亡くなったことがわかった日の翌日）	
7日以内	死亡届の提出
3か月以内	相続放棄・限定承認
4か月以内	所得税等の準確定申告・納税
10か月以内	相続税の申告・納税
1年以内	遺留分侵害額請求
3年10か月以内	未分割だった場合、配偶者の税額軽減や小規模宅地等の特例を利用するための遺産分割期限

● クレジットカード納税の手数料(例)

納付税額	決済手数料（税込）
100,000円	836円
300,000円	2,508円
500,000円	4,180円
1,000,000円	8,360円
3,000,000円	25,080円
5,000,000円	41,800円

まとめ	□ 申告・納税の期限は原則として相続開始から10か月 □ 納税は現金が基本だが、QRコードやクレジットカード納税も

相続税を払えなかったら
どうなるの？

● 申告期限前の申請で延納・物納も可能

　前節で解説した通り、相続税の納付期限は相続開始から10か月後です。しかし、財産の大半が不動産で預貯金が十分にない場合や、不動産が予定通りに売れなかったなど、納付期限までに資金が用意できないこともあります。

　納付期限に間に合わなかった場合、何もしなければ、本来納税する税額だけでなく、**延滞税が追加**されます。さらに、滞納処分を経て他の相続人に納税通知が発送される**「連帯納付義務」**が生じたり、**差し押さえ等の処分を受ける可能性**もあります。

　このような事態を回避するために、申告期限内であれば、相続税の分割払いである「延納」や、金銭ではなく相続財産で税金を支払う「物納」を申請できます。

　延納は財産の種類により最長5〜20年の期間での相続税の分割払いです。延納中は、1年に1回税金の支払いを行います。金融機関での利息に相当する利子税がかかります。

　延納でも支払いが難しい場合は、相続財産で納税を行う「物納」という方法もあります。ただし、物納財産の価格は一般的に時価より低くなる「相続税評価額」で計算されるため、物納を選択するよりは売却して現金で納税する方がよい場合が多いです。

　他にも金融機関から納税資金を借りるという選択肢もあります。ただし、担保提供や利率の問題があり、その後の返済原資も考えなければなりません。いずれにしろ、早い段階で相続税額の試算と納税資金の確保方法を検討していくことが重要です。

延納を選択する場合の条件や必要書類

条件

☑相続税額が10万円超
☑金銭で納付することを困難とする事由があること
☑担保を提供すること （延納税額が100万円以下で、延納期間が3年以下である場合には担保不要）
☑納付期限までに申請すること

利率・年数（主なもの）

不動産の割合		延納期間（最長）	特例割合（利率）
75%以上	動産等に係る相続税額	10年	0.60%
	不動産等に係る相続税額	20年	0.40%
50～75%	動産等に係る相続税額	10年	0.60%
	不動産等に係る相続税額	15年	0.40%
50%未満	一般の相続税額	5年	0.70%

※特例割合は令和5年1月のもので、年によって変動あり

必要な書類

延納申請書	
金銭納付を困難とする理由書	
担保提供関係書類	土地の場合 登記事項証明書、固定資産税評価証明書、 抵当権設定登記承諾書、印鑑証明書 建物の場合 上記に加え、保険証券の写し、 質権設定承認請求書

まとめ

- □ **期限までの納税が難しい場合は、延納・物納を検討**
- □ **早い段階で納税額を試算し、資金の確保方法を検討する**

相続税が軽減されることも あるの？

▶ 配偶者の税額軽減と小規模宅地等の特例が重要

　相続税額を軽減する規定はいくつかありますが、その中でも利用頻度が高く、かつ大きく税額を軽減する2つの特例を覚えておきましょう。

①配偶者の税額軽減

　被相続人の配偶者が取得した財産は、**「財産全体の1/2」**または**「1億6,000万円」のいずれか大きい方までは相続税がかからない**とする規定です。相続財産全体が1億6,000万円以下の場合は配偶者がすべて相続しても相続税がかからず、財産が100億円の場合は50億円まではかからないという大きな効果があります。ただし、この規定を利用する場合は、二次相続（配偶者に相続が発生したとき）での税額が大きくならないか、確認と検討が重要です。

②小規模宅地等の特例

　相続人の生活や事業の基盤となる土地については、評価額を減額しようという特例です。「特定居住用宅地等」（被相続人の居住用の土地）、「特定事業用宅地等」（被相続人の個人事業用の土地）、「貸付事業用宅地等」（不動産賃貸業用の土地）などの種類があります。

　特定居住用宅地等の場合、330㎡までの広さの土地について、80%の評価減を受けることができます。特定事業用宅地等なら400㎡まで80%、貸付事業用宅地等は200㎡まで50%の減額です。特に地価の高い都市部では大きな減税効果を発揮します。ただし、**適用のための条件が非常に多く複雑**なため、適用可否については慎重に検討する必要があります。

● 小規模宅地等の特例（特定居住用）の主な条件

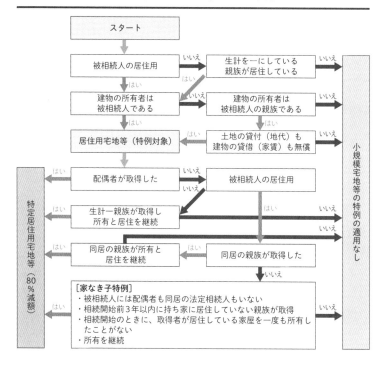

● その他の特例

特例の名称	内容	軽減額
未成年者控除	未成年の相続人に適用	（18歳－相続時の年齢）×10万円
障害者控除	障害のある相続人に適用	一般障害者：（85歳－相続開始時の年齢）×10万円
		特別障害者：（85歳－相続開始時の年齢）×20万円
相次相続控除	前回の相続から10年以内に発生した場合	前回の相続で（今回の）被相続人が負担した税額の一部
贈与税額控除	生前贈与加算される贈与財産がある場合	当時の贈与に係る贈与税

まとめ
□ 配偶者の税額軽減を使う場合は、二次相続に注意
□ 小規模宅地等の特例は要件が複雑なため、注意が必要

相続税の申告書は
どうやって作成するの？

● 手順を踏めば理解しやすい

相続税の申告書のフォーマットは、国税庁のHPからダウンロードできます。一見すると複雑な申告書ですが、全体の仕組みがわかればそれほど難しいものではありません。

作成の流れは、**相続人の特定⇒財産の調査・特定⇒財産評価⇒遺産分割の確定⇒税額計算**となります。順に見ていきましょう。

①相続人の特定

まずは戸籍等の調査により、相続人を特定します。相続人が確定しないと基礎控除が決まらず、税額計算ができません。

②財産の特定

ヒアリングや資料収集、収集した資料の調査を重ね、被相続人の財産の全体像を把握します。調査の結果、集まった資料から新たな財産が発覚することもあります。

③財産評価

相続税の計算のため、「相続税評価額」を算定します。特に不動産や取引相場のない株式（非上場株）の評価に時間が必要です。

④遺産分割の確定

遺産分割が確定しないと相続税額も確定できません。遺言がない場合は、遺産分割協議の確定を待つことになります（遺産分割協議がまとまらない場合はP.140参照）。

⑤税額計算

遺産分割が確定すると、配偶者の税額軽減や小規模宅地等の特例の適用が確定し、税額も確定します。

● 相続税申告書の主な内容と相関

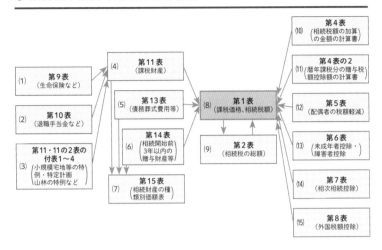

● e-Taxソフトで誰でも作成可能

相続税の申告書はe-Taxソフトでも作成することができる。
e-Taxソフトは国税庁のホームページからダウンロードできる

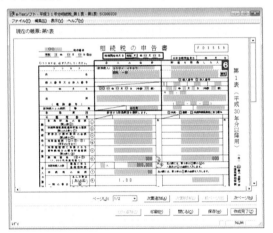

Part 5
相続税

まとめ	□ 相続税の申告書は種類ごとの記載内容を押さえる □ 申告書の完成までには多くの調査と評価作業が必要

相続税を節税する方法は
あるの？

● 基本は「財産を減らす」か「税率を下げる」

　相続税の計算方法（P.102参照）、特例措置（P.116参照）を確認しました。この計算構造がある以上、相続税額を下げる方法は **①財産（課税価格）を減らす** か **②税率を下げる** か **③税額控除を使う** に限られます。③は配偶者の税額軽減以外に意図して使えるものが少ないため、必然的に相続税対策の中心は①と②になります。それぞれの代表的な手法を見ていきましょう（詳細はP.138以降参照）。

①財産を減らす（評価額を下げる）

・生前贈与：相続人だけでなく孫や相続人の配偶者への贈与も効果的。**長期間にわたってコツコツ続ける** ほど、効果が大きくなる

・生命保険の活用：**非課税枠** を活用し、課税対象となる財産を減らす

・小規模宅地等の特例：課税価格を大きく下げることが可能

・不動産の購入：一般的に不動産は購入価格より相続税評価額の方が低いため、購入により課税財産を圧縮することができる

②税率を下げる

　代表的な方法は「養子縁組」です。養子縁組により基礎控除が増え、（一般的なケースでは）税率も下がります。また、生命保険金や死亡退職金の非課税枠も増えます。一方で、養子の数の算入制限や、相続人が増えることのデメリットにも注意が必要です。

● 毎年100万円贈与した場合の財産減少の効果

年数	1名に贈与	2名に贈与	3名に贈与
1年	1,000,000円	2,000,000円	3,000,000円
3年	3,000,000円	6,000,000円	9,000,000円
5年	5,000,000円	10,000,000円	15,000,000円
10年	10,000,000円	20,000,000円	30,000,000円
20年	20,000,000円	40,000,000円	60,000,000円

● 不動産購入による財産圧縮

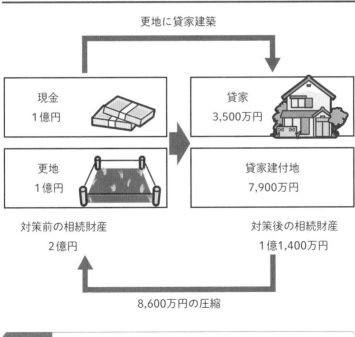

更地に貸家建築

現金
1億円

更地
1億円

貸家
3,500万円

貸家建付地
7,900万円

対策前の相続財産
2億円

対策後の相続財産
1億1,400万円

8,600万円の圧縮

まとめ	□ 長期間、コツコツ行う対策が基本（早めに始めると効果大） □ 対策のデメリットにも気を付ける

相続税の税務調査は
いつくるの？

◉ 申告後1年〜1年半後が多い

　相続税は所得税や法人税と同じく、自らが（または税理士に依頼
して）税額を計算して申告・納税を行う申告納税方式となっていま
す。提出された申告書の中には、計算が間違っていたり、中には意
図的に税金を少なく申告したりしているものもあります。これらを
放置すると正しく納税を行っている人との公平が保てなくなるため、
税務調査を通じて申告内容を確認・修正し、国民が適正な納税負担
を行うよう仕組みを整えています。

　相続税の**税務調査は、申告後1年〜1年半ほど経ってから行われ
ることが多い**です。申告してからすぐに調査に来ないのは、申告書
の内容を確認したり、場合によっては**金融機関等で預金口座の取引
履歴を取得したりするなどして調査の準備を行っている**ためです。

　相続税の申告書を提出した件数のうち、税務調査（実地調査）や
簡易な接触（郵便等での内容確認）が行われるものは（ここ数年は
コロナ禍で減ってしまいましたが）、**全体の約20%程度**です。その
中でも財産が多額の申告書、税理士に依頼せずに納税者が自分で
作った申告書等は、調査が来る確率が上がると考えられます。一方、
税理士に依頼し、その税理士が税理士法第33条の2に規定する添付
書面（いわゆる「書面添付」）を作成している場合には、税務調査の
確率が下がると言われています。他にも、同じ財産額であれば富裕
層の多い都市部より地方の方が調査が入りやすいとか、預貯金の割
合が多い方が調査になりやすいという噂もあります。いずれにしろ、
適正な申告・納税が重要です。

▶ 相続税申告の税務調査統計

	H28	H29	H30	R1	R2
①申告件数	115,591	122,341	128,166	127,223	131,724
②調査件数	12,116	12,576	12,463	10,635	5,106
③調査割合 （②／①）	10.5%	10.3%	9.7%	8.4%	3.9%
④簡易な接触及び調査件数	21,111	23,774	22,795	19,267	18,740
⑤簡易な接触及び調査割合 （④／①）	18.3%	19.4%	17.8%	15.1%	14.2%

出典：国税庁「相続税の調査等の状況」「相続税の申告実績の概要」

まとめ	□税務調査の割合は20％程度 □居住地や財産構成等によっても確率は変わる

税務調査が来たら
どうすればよいの？

● 形式は決まっているので落ち着いて対応を

　税務調査と聞くと、ある日突然調査官が自宅に押しかけてきて…というものを想像する人もいますが、そのようなことは滅多にありません。税務調査が行われる際には、納税者（税理士に依頼している場合にはその税理士）に電話が入り、調査に入りたい旨が伝えられます。電話で日程を調整しますが、高圧的・威圧的な対応をされるケースはほとんどないので安心してください。

　税務調査が入った場合、申告漏れ財産や計算間違い等の非違が見つかる割合は、令和3年が87.6%、令和4年が85.8%となっており、**調査に入ると約9割の確率で間違いが見つかる**（追加での納税が発生する）ということになります。

　申告を税理士に依頼していた場合は、税務署との電話対応だけでなく、調査当日も税理士が同席してくれますので安心感があります。納税者自らが申告書を作成した場合はすべて自分で対応しなければいけませんが、税務調査のみ税理士に代理を依頼することも可能です。税務調査の対応に不安がある場合は、税理士に相談してみるとよいでしょう。

　税務調査で見つかる**申告漏れは、預貯金や保険、株式といった金融資産が大半**です。特に被相続人の収入や資産を原資としながらも、他の親族の名前を借りて作成した預金口座（名義預金）は有名です。名義が異なっても、口座開設時の書類の筆跡や相続までのお金の動きを調査すると、実態が被相続人の預金だということはすぐにわかります。税務署の調査能力が凄いということは覚えておきましょう。

● 税務調査の非違割合

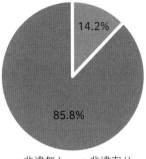

14.2%

85.8%

■ 非違無し　■ 非違有り

出典：国税庁「令和4事務年度における相続税の調査等の状況」

● 申告漏れ財産の内訳

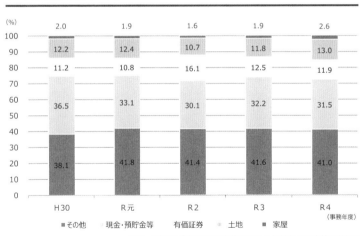

(%)	2.0	1.9	1.6	1.9	2.6
100	12.2	12.4	10.7	11.8	13.0
90					
80	11.2	10.8	16.1	12.5	11.9
70					
60	36.5	33.1	30.1	32.2	31.5
50					
40					
30					
20	38.1	41.8	41.4	41.6	41.0
10					
0	H30	R元	R2	R3	R4

(事務年度)

■ その他　現金・預貯金等　有価証券　土地　■ 家屋

出典：国税庁「令和4事務年度における相続税の調査等の状況」

まとめ	□ 申告漏れは預貯金・保険・株式等が大半 □ 当初から税務調査を意識した申告書を作成することが重要

税務調査で相続税の申告漏れ・間違いが見つかるとどうなるの？

● 修正申告を行い、延滞税等と共に税金を追加納付する

P.124で説明した通り、**税務調査で申告漏れ等が指摘される確率は8割を超えます**。税務調査により指摘を受けた場合は、すでに提出した申告書を修正する「修正申告」を行います。申告漏れや計算間違いがあれば、最初の申告時よりも修正申告時の方が納税額が増えるはずです。その差額について、修正申告と共に納税する必要があります。また、追加で納める相続税に加えて、以下の加算税や延滞税を納める必要があります。各加算税等に関する税率は右図の通りです。

過少申告加算税：本来より少ない金額で申告した場合

無申告加算税：法定期限内に申告しなかった場合

重加算税：恣意的な脱税など、悪質な申告の場合（35％または40％）

延滞税：納付が遅れたことに対するもの

右表の通り、加算税は修正申告を行うタイミングによって変わります。税務調査の通知を受けた時点で申告書を見直し、間違いに気づいて修正申告をすれば、加算税が低く抑えられるからです。

また、故意に財産を隠したりすると、重加算税という重いペナルティが課せられます。重い税率以上に信用に関わりますので、意図的な財産隠しは絶対に行ってはいけません。

一方、計算間違いや勘違いにより、余計に税金を支払っていたということも起こり得ます。そのような場合には、「更正の請求」という手続きによって税金の還付を受けることができます。ただし、更正の請求は相続税の申告期限から5年間の間しかできませんので、ご注意ください。

◉ 申告漏れや計算間違い時にかかる税金

延滞税

期間	割合	
	納期限から2か月以内	2か月超
令和3年	2.50%	8.80%
令和4年	2.40%	8.70%
令和5年	2.40%	8.70%
令和6年	2.40%	8.70%

過少申告加算税

追加で納める税額のうち	税務調査の事前通知前に申告した場合	事前通知から税務調査までに申告した場合	税務調査を受けてから申告した場合
当初の納税額と50万円のいずれか多い方以下の部分	なし	5%	10%
当初の納税額と50万円のいずれか多い方を超える部分		10%	15%

無申告加算税（令和6年〜）

相続税額のうち	税務調査の事前通知を受ける前に自主的に申告した場合	事前通知から税務調査までに申告した場合	税務調査を受けてから申告した場合
50万円以下	5%	10%	15%
50万円〜300万円		15%	20%
300万円超		25%	30%

まとめ	☐ 漏れや間違いがあった場合、本税と共に加算税・延滞税を納付 ☐ 早めに対応すれば加算税が軽減されることがある

亡くなった後の被相続人の確定申告（準確定申告）はどうすればよいの？

● 相続開始日までの所得を相続人全員の連名で申告する

相続が発生した場合、被相続人の所得について、確定申告を行う必要があります。これを**準確定申告**と言います。通常の確定申告とは異なる部分を解説します。

①**申告期限：相続開始から4か月以内**

②**申告をする者：相続人全員の連名**

③**提出先：被相続人の住所地の税務署**

④**納税：相続人が相続分で分割して納付**

例えば9月20日に相続が開始された場合には、1月1日から9月20日までの分を、翌年1月20日までに申告します。また、2月10日に亡くなった場合には、前年1年分の申告と、その年1月1日から2月10日までの分の2年分の準確定申告を行う必要があります。

決算書・申告書の作成方法は通常の確定申告と大きく変わりませんが、準確定申告特有の計算方法（右図）や作成書類があります。特に「付表」は、連名で提出する相続人全員の氏名・住所等を記載するものです。関係性が悪く、どうしても他の相続人の合意が取れない場合には、各相続人がそれぞれ準確定申告を行うことも可能です（内容に相違があると税務署とのやり取りが必要になるため、お勧めできません）。

また、還付が発生する場合は、各相続人が相続分で按分した金額を受取ります。しかし、各相続人の銀行口座を確認するのが煩わしい等の事情で一人がまとめて受取りたい場合には、**委任状を提出することによって代表者が還付金をまとめて受け取ることができます。**

● 準確定申告が必要な主なケース

事業所得や不動産所得がある人
2,000万円超の給与収入がある人
複数からの給与所得がある人
給与・退職所得・公的年金以外の所得が20万円を超える人
公的年金等による収入が400万円を超える人
生命保険の満期金や一時金を受け取った人
土地や建物を売却した人
株式などを売却して源泉徴収されていない人

● 準確定申告特有の計算

減価償却	月の途中で死亡した場合、その月の分も償却可能
固定資産税	通知が相続開始前に届いていれば全部または支払い分を必要経費に算入可
個人事業税	見込税額を必要経費に算入できる
扶養控除等	相続開始時点で見積もった所得等で判定
社会保険料控除等	相続開始日までに支払ったものが対象
医療費控除	相続開始後に相続人が払った分は対象外
青色申告特別控除	65万円控除等の月割りはなし

まとめ	□準確定申告は相続人が被相続人に代わって申告する □基本的には確定申告と同じだが、準確定申告特有の論点があるので注意

遺族年金の手続き、
受給額は？

● 2種類の遺族年金、それぞれ要件が異なる

　遺族年金は、被相続人の遺族に支給される年金です。被相続人が国民年金か厚生年金保険に加入していて、保険料の納付状況など一定の要件を満たしていれば、遺族が受給することができます。遺族年金は、**遺族基礎年金**と**遺族厚生年金**の2階建てです。被相続人の年金加入履歴等により、どちらか一方または両方の年金が支給されます。

　遺族基礎年金は、被相続人が「被保険者等要件」と「保険料納付要件」を満たしており、「18歳到達年度の末日（3月31日）を経過していない子」または「20歳未満で障害年金の障害等級1級または2級の子」がいる場合に、配偶者またはその子本人が受け取ることができる年金です。

　遺族厚生年金は厚生年金の保険料を支払っていた人が対象となります。被相続人が受給要件を満たしていれば、子がいなくても支給されます。

　なお遺族年金は、**遺族基礎年金と遺族厚生年金ともに非課税**です。所得税、住民税などの税金はかかりませんし、確定申告も不要です。

　遺族厚生年金の手続きについて説明します。年金請求書と添付書類を準備し、年金事務所または年金相談センターに提出します。書類提出後、2か月以内に「年金証書」などがご自宅へ届き、さらにその約1〜2か月後に年金の振り込みが始まります。年金は偶数月に2か月分が振り込まれます。なお、遺族年金を受給する権利は5年間で時効となり消滅します。そうなる前に手続きをしましょう。

● 遺族基礎年金の受給資格

被相続人の要件	被保険者等要件 (いずれか)	①国民年金の被保険者 ②過去に国民年金被保険者で、死亡当時日本国内に住所があり60歳以上65歳未満 ③老齢基礎年金の受給資格期間が25年以上ある ④老齢基礎年金を25年以上の受給資格期間で受給していた
	保険料納付要件 (いずれか)	死亡日の前々月までの被保険者期間に、国民年金の保険料納付済期間が3分の2以上あること 65歳未満であれば、死亡日の前々月までの直近1年間に保険料の未払いがない（R8.3月まで）

● 遺族厚生年金の受給資格

被相続人の要件	被保険者等要件 (いずれか)	厚生年金に加入していること 傷病が原因で被保険者の資格を喪失した後、初診日から5年以内に死亡した 1級または2級の障害厚生年金を受給している 老齢厚生年金を受給している 老齢厚生年金の受給資格期間を満たしている
	保険料納付要件	亡くなった人の保険料納付期間が国民年金加入期間の3分の2以上であること 被相続人が65歳未満の場合、相続開始日の2か月前までの1年間に滞納がないこと

● 遺族厚生年金の受給金額

老齢厚生年金の報酬比例部分の4分の3の額

＋

中高齢寡婦加算（596,300円（年額））

or

経過的寡婦加算

まとめ	□受給要件が異なるため注意 □所得税等は非課税。時効が有るので早めの手続きを

相続税に時効はあるの？

◉ 相続税の時効は申告期限から原則5年

　過去に相続が有り、申告を忘れていた、または申告することを知らなかった……。そのようなとき、どうすればいいでしょうか。

　まず、申告漏れに気づいた際には、なるべく早く、相続税の申告を行いましょう。自主的に申告するか税務署に指摘されてから申告するかで、ペナルティの重さが変わります（P.126参照）。そもそも相続税が発生した際に**申告・納税を行うことは法律で定められた「義務」**ですので、申告期限に遅れたとしても、申告するようにしましょう。

　税務署には申告書を出さない納税者に対して税額を「決定」したり、提出した申告書を修正したりする「更正」の権限があります。しかし、**決定や更正を行うことができるのは、法定申告期限から5年間**となっています。つまり相続開始から5年10か月経過すると、仮に申告を忘れていたり誤って少ない税額の申告を出していたとしても、強制的に直すことができなくなります。実質、時効と同様です。

　なお、偽りその他不正の行為がある場合、つまり**悪意を持って意図的に申告をしなかったり、財産を隠したりした場合には、この時効の期間が7年に延長**されます。

　また、同様に贈与税の時効は6年（悪質な場合は7年）となっています。贈与税の申告期限は、贈与を受けた日の属する年の翌年3月15日です。例えば2023年12月10日に贈与を受けた場合、申告期限は2024年3月15日になります。この日を起算に6年間で贈与税の時効になります。

● 時効の起算日

相続税

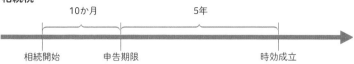

贈与税

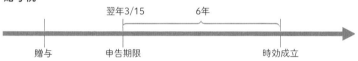

● 偽りその他不正の行為の例

財産に関する書類について改ざん、偽造、変造、虚偽の表示、破棄又は隠匿していること
課税財産を隠匿し、架空の債務をつくり、又は事実をねつ造して課税財産の圧縮をしていること
取引先その他の関係者と通謀し帳簿書類について改ざん、偽造、変造、虚偽の表示、破棄又は隠匿を行わせていること
取得した課税財産について、被相続人以外の名義、架空名義、無記名等であったこと等を認識しながら、課税財産として申告していないこと

まとめ	☐ 相続税の時効は5年、悪質だと7年 ☐ 贈与税の時効は6年、悪質だと7年

海外の財産に
相続税はかかるの？

● ほとんどのケースでは、海外の財産にも日本の相続税がかかる

　日本国内にある財産を相続する場合は、被相続人と相続人の国籍や居住地を問わず、日本の相続税の対象となります。では海外にある財産に相続税がかかるかどうか、これは、**被相続人と相続人それぞれの「居住地」と「居住年数」の組み合わせにより課税関係が決まります。**

　被相続人・相続人のいずれかが日本国内に居住している場合、海外も含めたすべての財産が日本の相続税の対象となります。例外は被相続人が外国人被相続人 (注2) で、相続人は10年以上日本に住んでいないか一時居住者 (注1) であるか外国籍である場合です。被相続人が非居住被相続人 (注3) か10年以上海外に住んでいる場合、相続人も10年以上日本に住んでいないか一時居住者であるか外国籍であれば、国外財産には相続税がかかりません（右図参照）。

　このように見ると、国外財産に相続税がかからないパターンは極めて稀であると言えます。

　海外に財産がある場合、財産調査や評価に時間がかかります。名義変更を行うにも現地の法律に基づいて行うため、それに合わせて書類を作成したり、国際郵便で送付したり、海外で弁護士に依頼するケースもあります。申告手続き、名義変更手続き共に多くの時間と手間がかかるため、海外に財産がある場合は、専門家に相談しながら早めに相続手続きに着手しましょう。

● 被相続人・相続人の属性と相続税の課税対象財産の関係

被相続人＼相続人		国内に住所あり		国内に住所なし		
			一時居住者（注1）	日本国籍あり		日本国籍なし
				10年以内に国内に住所あり	10年以内に国内に住所なし	
国内に住所あり		■	■	■	■	■
	外国人被相続人（注2）	■	□	■	□	□
国内に住所なし	10年以内に国内に住所あり	■	■	■	■	■
	非居住被相続人（注3）	■	□	■	□	□
	10年以内に国内に住所なし（非居住被相続人）	■	□	■	□	□

■…国内財産および国外財産にかかわらず、すべて課税対象

□…国内財産のみが相続税の課税対象

（注1）「一時居住者」とは、相続開始のときにおいて在留資格を有し、相続の開始前15年以内において日本国内に住所を有していた期間の合計が10年以下である者

（注2）「外国人被相続人」とは、相続開始のときに在留資格を有し、かつ、日本国内に住所を有していた者

（注3）「非居住被相続人」とは、相続開始時に日本国内に住所を有しておらず、①相続の開始前10年以内のいずれかのときにおいて日本国内に住所を有していたことがある人のうち、そのいずれのときにおいても日本国籍を有していなかった人または②その相続の開始前10年以内に日本国内に住所を有していたことがない人

まとめ

□ 被相続人か相続人のどちらかが日本に住んでいれば、世界中の財産が相続税の対象

□ どちらも10年以上海外在住など、稀なケースのみ海外の財産が対象外になる

家の中の現金（タンス預金）は バレないって本当？

● 税務署の調査から財産を隠し通すのは大変

「銀行に預けてあるお金は把握されるけど、タンス預金は税務署もわからないよね」という質問をよく聞かれます。答えから言えば、ほとんどのタンス預金はバレます。

タンス預金そのものは違法ではありません。家に大量の現金を保管しておくことは、泥棒や災害の観点からリスクが高いように見えますが、所有者の自由だからです。タンス預金をすることは自由ですが、タンスに現金がしまってあることを知りながら、それを**隠して相続税の申告を行うことは大問題**です。意図的に隠していますので、「脱税」と認定され、重加算税を課されるかもしれません。

税務署がタンス預金を見抜くのには、**被相続人や相続人の預金口座の取引履歴を確認している**ことは当然として、他にもいくつかのきっかけや不審な点があります。

①預金通帳から多額の現金が引き出された（特に生活費とは別に引き出されてる）が、何かに費消したり購入したりした跡がない

②毎年の確定申告書・源泉徴収票・支払調書等から把握している収入・所得に対して、被相続人の金融資産が著しく少ない

③支払調書が出ない取引に関しても、百貨店の外商部等の取引情報から被相続人の資金使途を把握している

以上のように、家族全体の資金や物の動きを完全に隠すことは難しく、税務署はその端々からタンス預金等の存在を探っていくのです。その調査能力はなかなかのものです。

● 支払調書の種類（代表的なもの）

相続税法	生命保険金・共済金受取人別支払調書
	損害（死亡）保険金・共済金受取人別支払調書
	退職手当金等受給者別支払調書
	保険契約者の異動に関する調書
	信託に関する受益者別（委託者別）調書
所得税法	不動産の使用料等の支払調書
	不動産等の譲受けの対価の支払調書
	配当、剰余金の分配、金銭の分配及び基金利息の支払調書
	匿名組合契約等の利益の分配の支払調書
	生命保険契約等の一時金の支払調書
	生命保険契約等の年金の支払調書
	先物取引に関する支払調書
	金地金等の譲渡の対価の支払調書
	国外送金等調書

⇒税務署は各方面の情報から個人の収入や財産を把握・調査している

まとめ	☐ 税務署が保有する膨大な資料や預金口座等の履歴から、タ ンス預金は発覚する
	☐ 発覚した際のペナルティが重いので、気軽に隠そうとしない

節税に使える税金の特例は
あるの？

● 贈与税の特例を使うことで、節税効果大幅アップ!

　相続税を減らすために最も簡単で一般的な方法は「生前贈与
（P.120参照）」です。しかし、年間110万円を超える贈与を行うと贈
与税がかかるため、多額の贈与は行いにくいという問題があります。
そこで、下記3つの特例をご紹介します。これらは年間110万円を超
える贈与を行っても贈与税がかからず、かつ**一定の範囲で生前贈与
加算（相続財産への持ち戻し）の対象外**となります。相手やタイミ
ングを選ぶものもありますが、うまく使えれば相続財産を大きく減
らすことができます。

①**住宅取得等資金**の特例

　子や孫の住宅取得や自宅の増改築のための資金贈与を行うと、最
大1,000万円まで非課税となります。現状では令和8年12月31日ま
での特例となっています（延長の可能性あり）。

②**教育資金**の一括贈与（P.154参照）

　子や孫の教育資金（習い事、留学費用含む）を予めまとめて贈与
できる特例です。令和8年3月31日までの特例で、非課税金額は最
大1,500万円です。

③贈与税の配偶者控除

　**婚姻期間が20年以上の配偶者に、自宅の土地・家屋または自宅
取得のための金銭を贈与**した場合、2,000万円まで非課税となりま
す。①②と異なり、不動産の贈与も対象となります。

　どの特例も細かな要件がたくさんあります。数年ごとに細かな改
正も行われるため、実行にあたっては事前の確認が重要です。

● 住宅取得資金の贈与

適用期限	住宅の種類	非課税限度額
令和6年1月1日〜 令和8年12月31日までの 住宅取得等資金の贈与	耐震・省エネまたは バリアフリー住宅	1,000万円
	上記以外の住宅	500万円

※すでに非課税の特例の適用を受けて贈与税が非課税となった金額がある場合には、その金額を控除した残額が非課税限度額となる（一定の場合を除く）

● 贈与税の配偶者控除

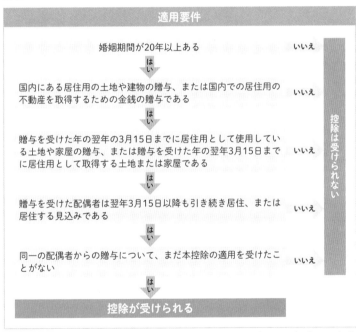

適用要件

婚姻期間が20年以上ある　　　　いいえ

↓はい

国内にある居住用の土地や建物の贈与、または国内での居住用の　　いいえ
不動産を取得するための金銭の贈与である

↓はい

贈与を受けた年の翌年の3月15日までに居住用として使用している土地や家屋の贈与、または贈与を受けた年の翌年3月15日まで　いいえ
に居住用として取得する土地または家屋である

↓はい

贈与を受けた配偶者は翌年3月15日以降も引き続き居住、または　いいえ
居住する見込みである

↓はい

同一の配偶者からの贈与について、まだ本控除の適用を受けたこ　いいえ
とがない

↓はい

控除が受けられる

控除は受けられない

※国税庁HP（https://www.nta.go.jp/law/tsutatsu/kihon/sisan/sozoku2/02/11.htm）も
参考にしてください

まとめ	□ 贈与税の特例で大幅に財産の減少が可能 □ 要件を満たしているかの確認が最も重要

遺産分割協議で揉めているときは、相続税はどう申告するの？

◉遺産分割協議が整わなくても、期限内に申告・納税を行う

　相続税の申告は通常、遺産分割協議が整ってから行うことが一般的です。相続税の計算ルール上、取得財産の割合に応じて相続税を負担したり、遺産分割協議が成立していないと適用できない特例があったりするためです。しかし、さまざまな事情で遺産分割が相続税の申告期限に間に合わないケースもあります。そのような場合は遺産が未分割であるとして、**法定相続分で取得したものとして仮で計算して申告**を行います。後日遺産分割が調った際に申告内容を修正し、追加での納税を行い、または還付を受けます。遺産分割協議が未成立だからと言って**申告をしないと、無申告加算税や延滞税が課せられる**ため、注意が必要です。

　未分割での申告では、右図の**特例を適用することができません**。ただし、配偶者の税額軽減と小規模宅地等の特例は、申告期限から3年以内に遺産分割協議が成立すれば修正申告の際に適用できます。このようなケースでは、未分割での申告を行う際に「申告期限後3年以内の分割見込書」を添付して提出します。また、遺産分割協議が成立した際には、成立から4か月以内に修正申告・更正の請求を行う必要があります。

　申告期限から3年を経過してもなお裁判等のやむを得ない事由で遺産分割ができない場合には、「遺産が未分割であることについてやむを得ない事由がある旨の承認申請書」を提出して期限をさらに延長することができます。

● 未分割だと適用できない特例等

・配偶者の税額軽減
・小規模宅地等の特例
・農地等の納税猶予
・非上場株式等の納税猶予
・物納の申請

● 未分割で申告を行う際の「穴埋め計算」の例

<table>
<thead>
<tr><th colspan="3">項目</th><th>合計</th><th>配偶者乙</th><th>子A</th><th>子B</th></tr>
</thead>
<tbody>
<tr><td rowspan="7">法定相続分に応ずる取得価額の計算</td><td>①</td><td colspan="2">分割済財産の価額</td><td>35,000,000円</td><td>20,000,000円</td><td>5,000,000円</td><td>10,000,000円</td></tr>
<tr><td>②</td><td colspan="2">未分割財産の価額</td><td>65,000,000円</td><td>－</td><td>－</td><td>－</td></tr>
<tr><td>③</td><td rowspan="2">特別受益</td><td>相続時精算課税適用財産</td><td>30,000,000円</td><td></td><td>30,000,000円</td><td></td></tr>
<tr><td>④</td><td>3年以内の贈与財産</td><td>10,000,000円</td><td></td><td></td><td>10,000,000円</td></tr>
<tr><td>⑤</td><td colspan="2">特別受益加算後の総遺産価額
①＋②＋③＋④</td><td>140,000,000円</td><td>－</td><td>－</td><td>－</td></tr>
<tr><td>⑥</td><td colspan="2">法定相続分</td><td>1</td><td>1/2</td><td>1/4</td><td>1/4</td></tr>
<tr><td>⑦</td><td colspan="2">法定相続分に応ずる取得価額</td><td>140,000,000円</td><td>70,000,000円</td><td>35,000,000円</td><td>35,000,000円</td></tr>
<tr><td rowspan="2">具体的相続分の価額の計算</td><td>⑧</td><td colspan="2">分割済財産の価額と特別受益の合計額</td><td>75,000,000円</td><td>20,000,000円</td><td>35,000,000円</td><td>20,000,000円</td></tr>
<tr><td>⑨</td><td colspan="2">未分割財産に対する具体的相続分</td><td>65,000,000円</td><td>50,000,000円</td><td>0</td><td>15,000,000円</td></tr>
</tbody>
</table>

未分割財産を法定相続分で分けるわけではない

まとめ	□ 遺産分割協議がまとまった際に再度申告を行う □ 遺言があれば、その通りに手続きも申告も進められる

相続税は自分で申告するか、税理士に依頼するか

　相続税の申告は、必ず税理士に依頼した方がよいですか？　自分でもできますか？　という質問がよくあります。具体的にそれぞれのメリットデメリットを見ていきましょう。

《自分で申告することのメリット》
　　①税理士報酬がかからない
　　②他人に財産等を開示しないで済む
《自分で申告することのリスク・デメリット》
　　①相続財産の計上漏れ、評価誤りのリスク
　　②小規模宅地等の特例等の適用誤りのリスク
　　③税務調査の確率が上がるリスク
　　④調査・作成に自分の時間を取られる
《税理士に依頼することのメリット》
　　①評価下げ、特例適用により、税額を抑えられる
　　②二次相続まで含めたプランを考えてもらえる
　　③税務調査まで対応してもらえる

　確かに相続税の申告は、インターネットで調べたり税務署で質問したりして、自分で「作成」することは可能です。しかし、作成できた申告書の内容が適正なのか、税金を多く払いすぎていないかまでわかる方はほとんどいないと思います。税務調査が入ることを気にすることはストレスですし、ミスがあれば故意でなくても延滞税や過少申告加算税がかかります。税理士報酬とリスク・デメリットを比較し、自分にとって何が優先すべきことなのかを検討するのがよいと思います。

Part

6

相続／相続税対策

いま何をするべきか、いま何ができるのか

相続の揉め事を避けるためには
どうすればよいの？

◉ 相続トラブルを回避するために活用できる遺言

　相続発生後の揉め事を、100%予防できる方法はありません。

　なぜなら、世の中には理不尽な主張をする相続人や、相続人ではないにもかかわらず遺産分割協議に関与してくる親族などが一定数存在するからです。この点、**本人の遺志に従って、事前に「遺言」を作成して遺産の承継先を指定することは、相続トラブルの予防、円滑な相続手続きの実現という面で非常に有益**です。

　例えば、子がいない夫婦の夫に相続が発生したケースにおいて、生前に夫が遺言を書いていない場合、夫の両親（夫の祖父母）がすでに亡くなっていると、夫の遺産は「妻が4分の3」、「夫の兄弟姉妹が4分の1」の割合で共有することになります。この場合、遺産の共有状態を解消するためには、相続人全員で遺産分割協議をする必要があり、妻は、夫の兄弟姉妹全員と（関係性が悪い場合であっても）遺産の分け方を話し合わなければなりません。

　実務では、このような事態を避ける方法として、生前に夫が「すべての財産を妻に相続させる」という内容の遺言を作成することが多いです。この遺言があれば、**妻は、夫の兄弟姉妹と遺産分割協議をすることなくすべての遺産を取得できます（兄弟姉妹には遺留分がないため、遺留分侵害額請求をされるリスクもない）**。

　遺言の他にも相続発生時のトラブルを予防する方法として「家族信託」や「生前贈与」などが活用できるケースもありますが、法律や税金の専門知識が必要なことが多いため、実際に取り組む際は、司法書士・税理士などに相談することをおすすめします。

● 遺言がない場合・ある場合の違い

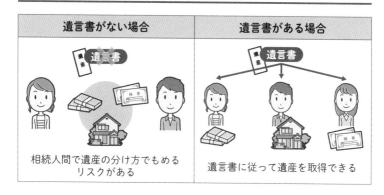

遺言書がない場合	遺言書がある場合
相続人間で遺産の分け方でもめるリスクがある	遺言書に従って遺産を取得できる

● 遺言と遺留分の法的性質を活用したモデルケース

　子がいない夫婦で両親も他界している状況で、夫は妻にすべての財産を相続させたいと考えている

遺言を書いていない場合、法定相続人は妻と夫の兄弟姉妹となるため、妻は夫の兄弟姉妹とすべての遺産を共有することになり、遺産分割協議をしなければならない

他界

相続の権利がある　兄　姉

相続人

被相続人　配偶者

兄弟姉妹の相続分

兄　姉　1/4　兄と姉で1/4を分ける

配偶者の相続分

配偶者　3/4

★遺言で解決

夫が生前に「妻にすべての財産を相続させる」という内容の遺言を書いていれば、妻は、夫の兄弟姉妹と遺産分割協議をすることなくすべての遺産を取得できる。また、法律上、兄弟姉妹には遺留分がないため、後日、遺留分侵害額請求をされるリスクもない

配偶者

遺言

すべての財産を配偶者に相続させることが可能
（兄姉との遺産分割協議は不要）

まとめ	□ 遺言がない場合、遺産は法定相続人の共有状態になってしまう □ 子がいない夫婦は「遺言書」を作成しておくとよい

遺言はどうやって作成するの?
注意点は?

● はじめて遺言を作成する際の流れと注意点

　遺言は、①自筆証書遺言、②公正証書遺言、③法務局の自筆証書遺言書保管制度を利用した自筆証書遺言のうちいずれかで作成することが一般的です（各遺言の特徴などはP.72参照）。**遺言を作成する場合、最初に、自分の預貯金・株式・不動産などの財産を調査して「財産目録」を作成するなど財産情報を整理します。**

　次に、各財産について「誰に、どれくらいの割合で承継させるか」を検討し、遺言の内容を確定させていきます。

　遺言の内容が確定したら、作成する遺言の種類（上記①②③のいずれか）を選び、その種類に沿った対応をして遺言を完成させます。自筆証書遺言の場合は、法律の要件を満たしていないことで無効になるリスクがあるので、可能であれば、司法書士や弁護士の関与のもと作成することを推奨します。

　なお、遺言に記載されていない財産は、法定相続人の共有財産となり、共有状態を解消するには遺産分割協議をしなければならないため注意が必要です。そのような事態を避けるべく、主要な財産以外の財産に関しても承継先が網羅されるよう「本遺言に記載のない財産は、すべて○○に相続させる」という条項を記載するなどの対応を検討しましょう。

　また、**遺言の作成時点では存在していた財産を、遺言者が生前に売却してしまうことがあります。この場合、遺言全体は無効になりませんが、その財産に関する内容は撤回されたものとみなされます（その財産の売却代金を受け取れるようになるわけではない）。**

● 遺言の作り方

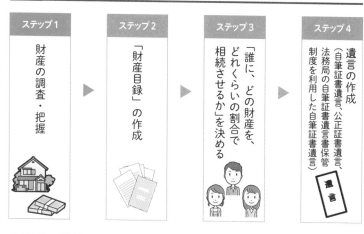

ステップ1	ステップ2	ステップ3	ステップ4
財産の調査・把握	「財産目録」の作成	「誰に、どの財産を、どれくらいの割合で相続させるか」を決める	遺言の作成（自筆証書遺言、公正証書遺言、法務局の自筆証書遺言書保管制度を利用した自筆証書遺言）

● 遺言の取扱いに関する注意点

①遺言が複数ある場合

古い遺言	「すべての不動産を長女に相続させる」
新しい遺言	「すべての不動産を長男に相続させる」

法律上、新しい日付の遺言で古い日付の遺言が撤回されたことになる。新しい遺言が優先される

②被相続人が生前に遺言の内容に抵触する行為をした場合

被相続人が「すべての不動産を長男に相続させる」という遺言を書いた後に、所有している不動産をすべて売却した

遺言
「すべての不動産を長男に相続させる」　　　　　生前に第三者に売却

法律上、遺言は撤回されたものとみなされる(不動産の売却代金に遺言の効力は及ばない)

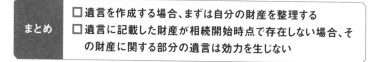

まとめ	□ 遺言を作成する場合、まずは自分の財産を整理する □ 遺言に記載した財産が相続開始時点で存在しない場合、その財産に関する部分の遺言は効力を生じない

遺産を公的団体・私的団体に
寄付することはできるの?

●「遺贈寄付」という新しい選択肢

　自身の遺産は、法定相続人や親族以外の公益的な活動をしている
団体などに寄付することも可能です。その場合「遺言」に寄付をし
たい財産の内容と寄付先の情報を記載しておく必要があります。

　生前お世話になった医療機関や応援している団体などに遺産を有
効活用してもらえるため**"人生最期の自己決定権の行使としての寄
付"**いわゆる「遺贈寄付」として現在注目を集めています。

　この遺贈寄付を行う際に、注意をしなければいけない点がありま
す。それは多くの場合、遺贈寄付する財産は「金銭」でなければ、遺
贈寄付先が受け取ってくれないということです。そのため、遺贈寄
付を予定している財産が不動産や株式の場合は、現金に換価した上
で、遺贈寄付先に引き渡すことを想定する必要があります。この換
価手続きについては、遺言の中で遺言の内容を実行してくれる「遺
言執行者」を定めるとスムーズに行うことができます。**遺言執行者
は、未成年者と破産者以外であれば誰でも就任できますが、実務上
は、専門知識が求められるケースや、煩雑な手続きを伴うケースも
あるため、確実で円滑な遺贈寄付を実現できるよう、司法書士や弁
護士などの専門家に依頼する人も多いです。**

　なお、遺贈寄付自体を受け入れていない団体も存在するため、事
前に遺贈寄付先に確認をしておくのが安心です。遺産を役立てて欲
しいという気持ちで「遺言」を書いたにもかかわらず、自身が亡く
なった後に遺贈寄付ができない事態に陥ってしまっては、せっかく
の優しい想いが無駄になってしまう可能性が高いからです。

● 遺贈寄付の一般的な流れ

① 財産の整理・把握

自身の財産を整理・把握して、遺贈寄付する財産を検討する

▼

② 遺贈寄付する団体等の選定

遺贈寄付する財産を「どこに」、「どれくらい」寄付するか決める
※金銭以外の財産（不動産など）の寄付を検討している場合は、寄付先が金銭以外の財産の寄付を受け入れていない場合があるため、事前に取扱いを確認する

▼

③ 遺言書の作成

遺贈寄付を実現するための「遺言書」を作成する
※遺贈寄付の確実な実現のために遺言執行者を指定しておく

④ 遺言執行（遺贈寄付の実現）

・遺言執行者が「遺言書」の内容に従って遺贈寄付を行う

● 遺贈寄付のメリット・デメリット

メリット	デメリット
・人生最期の自己決定権として、遺産の使途を自分で決めることができる ・社会貢献につながる ・老後資金に影響がない（相続が開始するまで遺贈寄付は行われないため） ・後世に想いや自身の名前を遺すことができる	・遺贈寄付の内容によっては、相続人が不満を抱き、寄付先に対して遺留分侵害額請求をする可能性がある

まとめ	□遺産は自身が希望する団体に寄付することもできる □遺贈寄付の確実な実現のために、遺言執行者を指定しておく

亡くなる直前にできる
相続税対策はあるの?

◉ 直前にできる対策はあるが、早めから実行するのが基本

　相続税対策は早めから、「財産を減らす」「税率を下げる」ことが基本です (P.120参照)。しかし、想定より早く体調を崩してしまったり、事情があって対策ができなかった場合等、相続が近付いてから対策を行いたいというケースも考えられます。そのような状態でも、相続税対策を行うことは可能です。主な手法は右図の通りです。養子縁組は相続人を増やすこととなり、基礎控除額の増加と税率引き下げの効果があります。ただし、子どもがいる場合は1人まで、いない場合は2名までという**算入制限があるため**、むやみにたくさん養子縁組を行っても効果はありません。

　生前贈与は、相続で財産を取得する人に対しては、節税効果がありません。相続開始直前の贈与は相続財産に加算されてしまうためです。しかし**相続しない人に対して贈与を行えば、その分は相続財産に加算されないため、財産を減らす効果があります。**

　相続対策の注意点として、どれも実行者の意志に基づいて行う必要があります (**意思能力が必要**)。認知症等になっていると、これらの行為自体を行うことができません。これも早くから相続対策を行うべきと言われる理由です。

　また、預金残高を減らすために、**相続直前に定期預金を解約したり、大量に引き出したりすることは対策になりません**。預金残高が減っただけで、同額の現金が財産になるためです。このような直前引き出しの現金を申告しないと、税務調査でほぼ確実に見つかり、追徴課税を受けることになります。

● 主な節税方法

節税方法	参考ページなど
一時払い終身保険の活用	P.156
相続人以外への生前贈与	P.152
非課税贈与の活用	P.154
賃貸不動産の購入	P.158
養子縁組	P.150
土地の評価見直し	P.158
不動産の利用方法の見直し	P.158
遺産分割方法の見直し	P.160
財産の費消	生活費や旅行・趣味等にお金を費消し、財産を減少させる

● 相続人以外への生前贈与

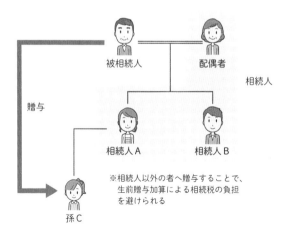

被相続人　　　配偶者

相続人

贈与

相続人A　　　相続人B

※相続人以外の者へ贈与することで、生前贈与加算による相続税の負担を避けられる

孫C

まとめ	□ 相続直前でも対策は可能 □ 意思能力がなければほとんどの対策はできない

生前贈与で節税できるって本当？

● 暦年課税と相続時精算課税の2種類の贈与制度

生前贈与を行うと、相続財産が減少することから、将来かかる相続税が軽減されます。**一定額以上の金額を贈与すると贈与税が課税されますが、2つの課税方式（計算方法）があります。**

①暦年課税制度

通常の（何も届出をしなければ適用される）贈与制度です。1年（1〜12月）で**110万円を超えて贈与を受けると課税**されます。相続直前の駆け込み贈与を防止するため、死亡から7年以内に行った贈与は、相続財産に加算されます（相続で財産を受け取った人に対する贈与のみ。令和5年12月末までの贈与は3年間）。

②相続時精算課税制度

選択することで適用できる制度です。贈与者ごとに**2,500万円までは贈与されても税金がかかりません**。ただし、贈与された金額は**全額**（令和6年以降の贈与は毎年110万円の基礎控除を除いた金額）**が相続財産に加算され、相続税の対象となります。**

生前贈与のポイントは以下の3点です。

1. 早い時期から長期間、複数人に行うことで効果アップ
2. より多くの贈与を行いたい場合は、特例（P.154）も検討
3. 財産の金額によっては、いくらかの贈与税を払ってでも多めに贈与した方が効果的な場合もある

また、生前贈与を相続人の一部のみに行うと、他の相続人が不満を抱く可能性もあります。相続税対策だけでなく、円満に相続を進められるという視点も重要です。

● 相続直前の贈与は節税効果なし

相続開始時点から7年間遡って相続財産に加算

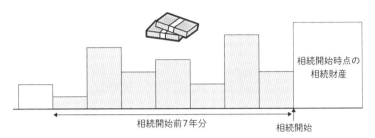

相続開始前7年分 ← → 相続開始

相続開始時点の
相続財産

● 財産額における贈与税率

税率	課税財産額（基礎控除後の課税価格）	
	直系卑属（18歳以上）	一般
10%	～200万円	～200万円
15%	～400万円	～300万円
20%	～600万円	～400万円
30%	～1,000万円	～600万円
40%	～1,500万円	～1,000万円
45%	～3,000万円	～1,500万円
50%	～4,500万円	～3,000万円
55%	4,500万円～	3,000万円～

まとめ	□2つの贈与制度の違いを理解する
	□家族構成や財産の状況に合わせて贈与する

孫の教育費で節税できる?

● 教育資金、住宅取得資金など、贈与税の特例あり

　基本的には1年間で110万円を超えた贈与を受けると、贈与税がかかります（P.152参照）。しかし、多額の贈与をしても贈与税がかからない、贈与税の特例がいくつか存在します。下記の特例は、一定条件のもと贈与者が死亡した際の相続財産への加算も不要となります。

①教育資金の一括贈与

　両親・祖父母等から「30歳未満の子・孫等」に教育のための資金を贈与した場合、**贈与を受けた人一人につき1,500万円までが非課税**となる制度です。学費だけでなく、一部は習い事等にも充てられます。金融機関で専用の口座を開設する必要があり、決められた用途でしか引き出しができませんが、現在ある特例の中では最も多く使われている制度でもあります。

②住宅資金の一括贈与

　住宅を購入する際、両親・祖父母等から贈与を受けると、**500万円または1,000万円の非課税枠**が適用できる制度です。

③贈与税の配偶者控除

　婚姻期間20年以上の配偶者から自宅の土地・建物または購入資金の贈与を受けると、**2,000万円まで控除**が受けられる制度です。

　贈与税の特例には、どれも細かな要件があり、要件を満たさないと通常の贈与として多額の贈与税が課税される恐れがあります。また、それらの要件や非課税金額は年によって変わることがあったり、制度そのものが新設されたり廃止されたりもします。適用の際には慎重に確認・検討しましょう。

● 教育資金の一括贈与の注意

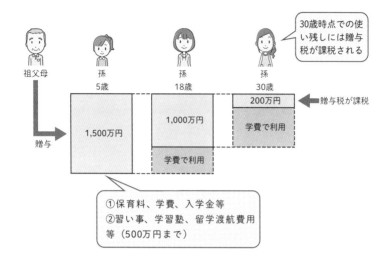

①保育料、学費、入学金等
②習い事、学習塾、留学渡航費用
等（500万円まで）

※注：贈与した人が亡くなった場合、贈与を受けた人が以下の状態にあれば、相続財産
への持ち戻しが不要となる（贈与した人の相続税の課税価格が5億円を超える場
合を除く）
　　　①23歳未満である場合
　　　②学校等に在学している場合
　　　③教育訓練を受講している場合

● 住宅資金の贈与

両親・祖父母等から	500万円または1,000万円の非課税枠が適用できる
婚姻期間20年以上の配偶者から	2,000万円まで控除が受けられる※

※土地家屋の贈与も可

まとめ	□贈与税の特例は一定条件で相続税への加算もなし □特例の要件に要注意

生命保険で節税できる?

▶ 死亡保険金は非課税枠により相続税対策に効果的

死亡に伴い支払われる生命保険金(死亡保険金)を受け取った場合、保険金は「みなし相続財産」として相続税が課税されます。しかし、生命保険金には非課税枠が設けられており、**「500万円×法定相続人の数」までは相続税がかかりません**。

例えば法定相続人が3人の家族であれば、保険金1,500万円までは相続税がかかりません。生命保険への加入がなく、定期預金等がある場合、預金のまま相続すれば相続税がかかります。定期預金を保険金に換えれば、**同じ1,500万円の価値でも相続税の課税対象額は減少**します。相続税対策で生命保険に加入する際は、相続開始年齢が対策に影響しないよう、**終身保険**がおすすめです。

生命保険金は節税に使われるケースがある一方で、税務調査等で申告漏れが指摘されることが多い財産でもあります。特に契約者・被保険者が被相続人以外(子や孫)で、保険料を被相続人が負担しているケースです。こういったケースでは保険金が支払われず、財産としての認識がない方が多いですが、相続開始時点で保険契約を解約した場合に支払われる解約返戻金相当額は、みなし相続財産として相続税の課税対象となります。

生命保険金と同じく非課税枠が設定されているものとして、死亡退職金があります。一定の事業を営んでいる方であれば「**小規模企業共済**」に加入でき、相続発生時に支払われる共済金は死亡退職金扱いで非課税の適用があります。誰でも加入できるわけではありませんが、一考の価値があります。

● 財産の一部を保険金に換え、課税対象額を減らす

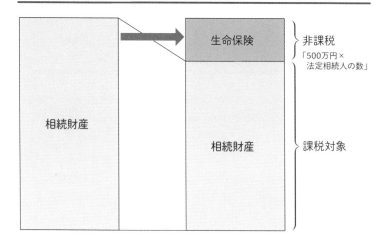

● 保険金が支払われていなくても相続税が課税されるケースがある

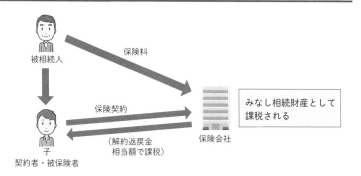

まとめ	□ 非課税枠は節税に有効 □ 死亡保険金以外にも相続税の課税対象になる保険があるため注意が必要

不動産で節税できる？

● 不動産の購入による節税効果は大

　相続財産の価値の計算は「財産評価基本通達」という規定に沿って以下のような方法で計算されますが、ここで計算される土地や建物の**「相続税評価額」は、時価（実勢価格）の7〜8割程度に評価**されることが一般的です。特に建物は、建築価格（購入価格）の50％以下の評価になることも珍しくありません。

土地→路線価または固定資産税評価額×一定倍率

建物→固定資産税評価額

　さらに**不動産を他人に賃貸すると、土地は約20％、建物は30％評価が減額**されます。これは、賃貸することで自身の思う通りに使用・処分ができなくなる（利用に制限がかかる）ことに対する減額評価です。賃貸による評価減が加わることで、ただでさえ時価より低い相続税評価額がさらに減額されます。このような仕組みにより不動産を購入することで財産が減少し、相続税を減らすことができます。

　賃貸用不動産の注意点は、賃貸料収入が入ってくることで長期的に見れば財産が増えていくことです。これは本来好ましいことなのですが、節税を主目的とする場合は逆効果になるので考えておく必要があります。

　また、2022年4月に不動産購入による過度な節税に待ったをかける最高裁判決が下されました。これを受け、2024年からはマンション等の区分所有建物の評価方法が変更され、時価の60％程度の評価額が付くようになります。このように、**相続税対策は将来的に封じられる可能性もある**ことから、注意が必要です。

● 時価と評価額の差額により課税価格が減少する

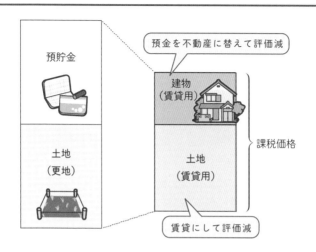

● 過度な不動産の購入による節税に注意

時価で評価するべきとされた最高裁判決あり

（2022年4月最高裁判決）

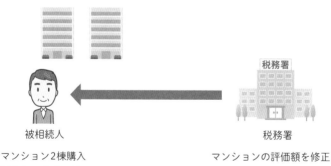

被相続人

マンション2棟購入
財産を10億円圧縮
⇒相続税0円

税務署

マンションの評価額を修正
約3億円の追徴課税

まとめ	□時価と評価額の差により、相続税が軽減される □過度な節税は要注意

その他の節税方法はある？

● 遺産分割の方法によっても税額は変わる

　相続税は被相続人の財産にかかる税金であるため、財産（評価額）がどの程度になるかに注目が集まります。しかし、財産額が確定した後であっても、その**分割の仕方（誰が何を相続するか）によって相続税が変わります**。変わる理由は主に下記の2点です。

①小規模宅地等の特例等の適用関係が変わる

②配偶者の税額軽減の金額及び二次相続での相続税額が変わる

　特に②が見逃されがちです。最初の相続では配偶者が大部分を相続して配偶者の税額軽減を受けて…と考える方が多くいます。しかし、二次相続においては「配偶者軽減が利用できない」「相続人一人分の基礎控除額の減少」「子どもが別居していて小規模宅地等の特例が受けられないことがある」等の理由により、相続税額が多めに算出されるケースが多くあります。結果として、一次相続での配偶者の相続分を減らし、そこで税金を納めておいた方が、**二次相続も含めたトータルでの相続税額は少なくなった**ということが多いです。

　他にも、土地の評価額を大幅に下げる「**小規模宅地等の特例**」があります。自宅や事業用（不動産賃貸業は含まれない）であれば最大80％も評価が減額されます。賃貸用の不動産も50％減額できることがあります。しかし、適用要件が非常に細かいことと、「被相続人と同居していること」といった後から対応できない要件もあることから、当規定を適用するためには相続開始前から利用状況と適用の可否を確認し、対策を検討する必要があります。どの土地にこの規定を使うのかといった検討も必要でしょう。

● 二次相続まで考えて節税する

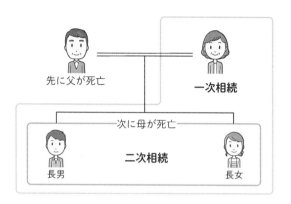

● 小規模宅地等の特例

宅地等の利用区分	上限面積	減額割合
特定居住用宅地等 （ご自宅の土地等）	330㎡	80％
特定事業用宅地等 （事業用の土地：工場・お店など）	400㎡	80％
貸付事業用宅地等 （賃貸住宅の土地：アパート・駐車場など）	200㎡	50％

※上限面積は土地ごとではなく被相続人ごと。ただし、一部併用可
※マンション・アパート等の敷地は特定事業用ではなく貸付事業用となる

まとめ	□二次相続までのトータルで税額を考える □小規模宅地等の特例は適用要件を確認し、相続前から準備を始める

毎年贈与を続けると
税金がかかる？

● きちんと贈与していれば問題なし

「毎年同じ金額を贈与していると、数年分まとめて贈与税が課税されるのですか？」。税理士によく寄せられる質問です。答えは「**きちんと毎年、その都度贈与を行っていれば、まとめて課税されることはありません**」です。

100万円の贈与は、年間110万円の基礎控除以下であるため贈与税はかかりません。しかし、例えば10年連続で100万円贈与した場合、「合計1,000万円を贈与する意図があり、支払いが分割だっただけ」と判断され、合計1,000万円に贈与税がかかるという都市伝説のような噂が納税者の間にはあるようです。

このようにまとめて課税されるのは当初から「1,000万円を贈与する」という意図があった場合のみです。例えば「1,000万円を贈与する」または「100万円を10年間贈与する」といった契約書があると、**最初の時点で1,000万円が確定していた**として総額に贈与税がかかる可能性があります。

しかし、毎年、その都度、100万円の贈与を合意し、契約書等を交わしていれば、それはあくまで**その都度その都度で検討・判断した結果の贈与であり、初めから決められていたものではなく、結果的に10年間同じ贈与になった**というだけです。このようなケースで初めから合意があったとみなして課税することは横暴であり、難しいものと考えます。もちろん前提として、贈与の都度契約書を作成するなど、贈与者・受贈者双方の合意があったことを記録として残しておくことが重要です。

● 年金課税の考え方

①1,000万円全額を一括で贈与⇒贈与された全額に課税

1年で1千万円を贈与

1千万円に対して贈与税

父　　　　　　　　　　　　　　　　子

②1,000万円を贈与するが、支払いは分割で行う⇒総額1,000万円に課税

（毎年100万円×10年）

1,000万円が確定。
⇒年金と認定

当初から1千万円を贈与する意図の契約

1千万円に対して贈与税

父　　　　　　　　　　　　　　　　子

③毎年100万円を贈与し、結果的に総額1,000万円を贈与
⇒その都度100万円に課税

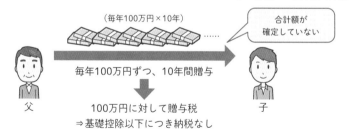

（毎年100万円×10年）

合計額が
確定していない

毎年100万円ずつ、10年間贈与

100万円に対して贈与税
⇒基礎控除以下につき納税なし

父　　　　　　　　　　　　　　　　子

| まとめ | □当初から総額を贈与する合意があるのでなければ、まとめての課税は難しい |
| | □面倒でも贈与の都度、合意の記録を残しておくことが重要 |

相続時精算課税制度で
2024年から何が変わるか

　相続時精算課税制度は、受贈者（贈与で財産をもらう人）1人あたり2,500万円まで贈与税を課さない代わりに、その贈与された財産すべてに相続税を課税する（相続が起きたときに相続税を課税して精算する）制度です。通常の贈与（暦年課税）は年間110万円を超えると贈与税がかかるため、当制度の2,500万円の控除枠は、親の世代から子・孫の世代へ財産を早期に移転できるというメリットがあります。一方、暦年課税であれば贈与した財産は3年間を過ぎれば相続税がかかることがありませんが、相続時精算課税を使うと何十年前の贈与であっても相続税がかかることとなり、相続税の節税という観点からはメリットの少ない制度となっていました。

　2024年1月1日以降の贈与から、適用される課税方式のルールが大幅に変わりました。変更点は主に下記3点です。

①暦年課税で相続税に加算される期間が3年⇒7年に延長

②相続時精算課税制度にも毎年110万円の基礎控除が創設

③相続時精算課税の110万円の基礎控除部分は、相続税に加算されない（暦年課税の110万円以下の部分は加算の対象）

　今回の改正により、相続時精算課税制度はかなり使いやすくなりました。一方で、相続時精算課税制度には下記の注意点があり、暦年課税にメリットの大きいご家庭もあります。制度の適用にあたっては、一般論ではなく「自分たちにとって」どの制度がベストなのかを考え、利用していくことが重要です。

①届出を提出しないと適用できない

②一度適用すると、生涯取消し・撤回ができない

③贈与する相手毎に適用を選択する

Index

Index

■ 問い合わせについて

本書の内容に関するご質問は、下記の宛先までFAX または書面にてお送りください。
なお電話によるご質問、および本書に記載されている内容以外の事柄に関するご質問には
お答えできかねます。あらかじめご了承ください。

〒162-0846
東京都新宿区市谷左内町21-13
株式会社技術評論社　書籍編集部
「60分でわかる!　相続　超入門」質問係
FAX:03-3513-6181

※ご質問の際に記載いただいた個人情報は、ご質問の返答以外の目的には使用いたしません。
　また、ご質問の返答後は速やかに破棄させていただきます。

60分でわかる!
相続　超入門

2024 年 5 月 3 日　初版　第 1 刷発行
2024 年 7月27日　初版　第 2 刷発行

著者……………………中下祐介、村田顕吉朗

発行者………………………片岡　巌
発行所………………………株式会社 技術評論社
　　　　　　　　　　　　東京都新宿区市谷左内町 21-13
電話………………………03-3513-6150　販売促進部
　　　　　　　　　　　　03-3513-6185　書籍編集部
編集………………………株式会社 エディポック
担当………………………秋山絵美（技術評論社）
装丁………………………菊池　祐（株式会社 ライラック）
本文デザイン…………山本真琴（design.m）
レイアウト・作図……株式会社 エディポック
製本／印刷……………株式会社シナノ

ISBN978-4-297-14120-2 C0036
Printed in Japan